D1539329

Kidnappés!

Kidnappés !

Beverly Hastings

Traduit de l'anglais par
Marie-Andrée Warnant-Côté

Les éditions
Héritage inc.

Données de catalogage avant publication (Canada)

Hastings, Beverly

Kidnappés !

(Frisson ; 67)
Traduction de : No Way Out
Pour les jeunes de 10 à 14 ans.

ISBN : 2-7625-8462-0

I. Warnant-Côté, Marie-Andrée. II Titre.

PZ23.H383Ki 1996   j813'.54   C96-940925-7

No Way Out
Copyright © 1995 Beverly Hastings
Publié par Berkley Books
une filiale de The Berkley Publishing Group

Version française
© Les éditions Héritage inc. 1996
Tous droits réservés

Conception graphique de la couverture : Jean-Marc Brosseau
Illustration de la couverture : Sylvain Tremblay
Mise en page : Michael MacEachern

Dépôts légaux : 3e trimestre 1996
Bibliothèque nationale du Québec
Bibliothèque nationale du Canada

ISBN : 2-7625-8462-0   Imprimé au Canada

LES ÉDITIONS HÉRITAGE INC.
300, rue Arran, Saint-Lambert (Québec) J4R 1K5
Téléphone : (514) 875-0327
Télécopieur : (514) 672-5448
Courrier électronique : heritage@mlink.net

FRISSONS™ est une marque de commerce des éditions Héritage inc.

Chapitre 1

Rébecca jette un coup d'œil impatient à sa montre et puis à l'horloge de la classe. Toutes deux indiquent quatorze heures cinquante. Monsieur Beaulieu finira-t-il un jour d'expliquer à Robert les réponses de l'examen de maths ? « J'ai juste une pauvre petite question à poser, se dit-elle avec irritation. Allez ! Dépêchez-vous ! »

Robert se prépare finalement à partir. Avant même qu'il se soit éloigné du bureau de l'enseignant, Rébecca s'assied et dit :

— Monsieur Beaulieu, je ne comprends pas pourquoi ma réponse à la question quatorze est fausse. Il me semble que le résultat devrait être positif et non négatif.

— J'admets que c'était une question difficile. Tu devais te souvenir que ces nombres négatifs indiquent…

Tandis qu'elle s'efforce de suivre les explications compliquées, Rébecca ne peut s'empêcher de taper du pied contre sa chaise. Monsieur Beaulieu est un bon professeur, mais il parle si lentement. Et elle sait d'expérience que l'interrompre pour qu'il se presse ne fera qu'empirer les choses.

— Est-ce assez clair? Veux-tu que je reprenne l'opération? demande monsieur Beaulieu en terminant son explication.

— Oh non! répond Rébecca en se levant. J'ai compris. Merci!

Elle s'élance hors de la classe.

Dans le corridor, elle aperçoit une petite silhouette assise par terre près des casiers.

C'est sa meilleure amie, Danielle Hu, la tête penchée sur des notes de cours.

— Salut, Dani! crie-t-elle.

— Hé! Rébecca, comment ça va?

— Je ne peux pas m'arrêter, je vais être en retard, dit Rébecca en passant devant elle au pas de course. Appelle-moi ce soir.

La maison où Rébecca garde Étienne Viau, qui a trois ans, n'est qu'à quinze minutes de l'école. Mais il est maintenant quinze heures cinq et madame Viau tient absolument à ce que Rébecca soit là à quinze heures quinze tapant. L'autobus qui ramène Étienne de la garderie n'arrive qu'à quinze heures trente, mais comme dit madame Viau: «On ne sait jamais, il pourrait être en avance.»

Rébecca se fait un point d'honneur d'arriver à l'heure. Elle comprend que ce serait angoissant pour Étienne s'il n'y avait personne pour l'accueillir.

Rébecca sait qu'elle a beaucoup de chance

d'avoir cet emploi. C'est vrai que ce n'est pas toujours commode de n'avoir aucun après-midi de libre, mais madame Viau paie très bien et Étienne est un petit garçon adorable.

Lorsqu'elle a commencé à le garder en septembre, Étienne était timide avec elle. Mais trois mois plus tard, il est maintenant parfaitement à l'aise. Madame Viau dit même que, lors des congés, il s'ennuie de sa «Becca».

Rébecca monte l'escalier hors d'haleine. Sa montre indique quinze heures dix-sept.

Au moment où elle ouvre la porte, le téléphone se met à sonner. Laissant tomber ses livres sur la table de l'entrée, Rébecca se précipite dans la cuisine. C'est probablement madame Viau, et elle veut lui prouver qu'elle est à l'heure.

— Allô! Résidence Viau.

Silence à l'autre bout du fil.

— Allô?

Toujours rien, mais la ligne est ouverte. Rébecca raccroche en haussant les épaules.

Dans l'entrée, elle examine son reflet dans le miroir. Ses longs cheveux châtains qui atteignent presque sa taille ont été ébouriffés par la bise de décembre et ses joues sont rouges. Malheureusement, son nez également. Elle se tire la langue.

C'est l'heure d'aller attendre l'autobus d'Étienne. Aussi, lorsque le téléphone sonne de nouveau, Rébecca se précipite pour y répondre:

— Allô?... Bonjour, madame Viau.

— Je sais qu'Étienne arrive bientôt, mais je voulais juste te rappeler que c'est l'heure du conte aujourd'hui à la bibliothèque, à seize heures.

— Oui, je m'en souviens. On ira à pied et… Oh! j'entends l'autobus!

En sortant, Rébecca se dit : «J'ai oublié de demander à madame Viau si c'est elle qui a appelé plus tôt. Si ça arrive encore, je le lui dirai pour qu'elle fasse réparer le téléphone.»

Étienne porte précautionneusement une feuille de carton enroulée. Il dit :

— Regarde, Becca, j'ai fait un dessin!

Lorsque la feuille est déroulée sur la table de cuisine, Rébecca le félicite :

— Ton dessin est très beau, Étienne. Ça, c'est toi et ici, c'est ta maman, hein?

— Ouais, et c'est notre maison et ça, c'est un oiseau qui a faim.

— Ta maman sera contente de le voir quand elle rentrera. Mais nous, on va à la bibliothèque écouter un conte, alors préparons-nous.

Rébecca essaie de se rappeler tout ce qu'elle doit faire avant de partir. Elle donne du jus à Étienne et s'assure qu'il va à la toilette. Elle emporte des biscuits comme collation. Elle lui met ses mitaines et sa tuque. Dans le tourbillon, elle oublie presque le livre qu'elle doit lire pour son cours de français.

Étienne lui raconte sa journée pendant le trajet. À la bibliothèque, Rébecca le conduit dans la pièce où plusieurs autres enfants sont assis sur de gros coussins, puis elle va s'asseoir dans la grande salle de lecture.

Lorsque des petites voix brisent sa concentration, Rébecca se rend compte que l'heure du conte est terminée depuis dix minutes. Refermant son livre, elle va rapidement dans la pièce aux gros coussins. Celle-ci est presque vide, et Rébecca n'aperçoit pas Étienne sur le gros coussin où elle l'a laissé.

Elle trouve son blouson rouge, sa tuque et ses mitaines en petit tas par terre. Où est-il allé?

Elle fait le tour de la pièce en regardant sous les tables et les chaises, ainsi qu'entre les rayonnages. Étienne n'est nulle part.

Elle se force à rester calme, mais son cœur bat vite alors qu'elle s'approche de la bibliothécaire.

— Excusez-moi, madame Turcotte. Je cherche Étienne Viau. Il était à l'heure du conte et je ne le trouve plus.

La bibliothécaire soupire et jette un regard alentour en disant:

— Madame Mathieu, la conteuse, est partie dirait-on. D'habitude, elle attend que tous les enfants soient partis avant de s'en aller. Tu es sûre qu'il n'est pas rentré avec un ami?

Rébecca n'avait pas pensé à ça. Comment retrouver Étienne si quelqu'un l'a ramené chez lui? Elle ne sait même pas lesquels de ses amis assistaient à l'heure du conte. Elle essaie de se convaincre elle-même en disant à la bibliothécaire:

— Je suis sûre qu'il ne partirait pas sans me prévenir. Il savait que je l'attendais. En plus, j'ai son blouson.

— Bon, jetons un coup d'œil pour voir où il est caché, dit la bibliothécaire en soupirant de nouveau.

Elles refont en vain le tour de la pièce aux coussins. Puis Rébecca va inspecter la toilette des femmes, tandis que madame Turcotte frappe à la porte de celle des hommes et entre. Étienne n'est ni dans l'une ni dans l'autre.

— Il te cherche peut-être dans la salle de lecture, suggère madame Turcotte.

Elles retournent dans la grande salle. Au fond, des rangées de rayons sont placées en angle. Rébecca en fait vivement le tour en espérant apercevoir un petit garçon aux cheveux noirs. Mais il n'y a pas d'enfant.

Elle jette un coup d'œil vers le comptoir de prêt. Madame Turcotte parle au préposé, qui secoue la tête.

Dehors, il fait presque noir. Le soir tombe vite en décembre. Et si Étienne était sorti ? Il aurait froid sans son blouson et il aurait peur. Est-ce qu'il pourrait essayer de rentrer tout seul ? Il y a tant de rues à traverser ; il se perdrait dans le noir. Rébecca ne veut pas y penser.

Près de la fenêtre, il y a une section de repos comprenant un divan et deux fauteuils. Il n'y a personne, mais Rébecca s'en approche, déterminée à ne rien laisser inexploré.

Le dos du divan est appuyé contre le mur mais,

de près, Rébecca voit qu'il y a un espace vide entre le meuble et le mur. Elle s'agenouille pour mieux voir.

Il est là! Recroquevillé sur le plancher, la tête posée sur son bras, il dort.

— Étienne!

Elle pousse le meuble pour l'écarter du mur, puis se penche et saisit l'enfant endormi.

— Oh! Étienne!

Les grands yeux bruns s'ouvrent lentement. D'abord surpris, il sourit ensuite en disant:

— Je jouais à la cachette avec toi, Becca.

— Je suis tellement contente de t'avoir trouvé, lui dit-elle en le serrant dans ses bras.

Chapitre 2

Le lendemain après l'école, Rébecca surveille Étienne de près. La veille, au retour de madame Viau, elle s'est sentie coupable de ne rien lui dire. Mais elle s'est bien promis que ça n'arriverait plus jamais.

De toute façon, c'est une journée sombre, avec risque de neige en soirée. Étienne semble parfaitement heureux de rester à la maison. Alors qu'ils sont assis à la table de cuisine pour boire du chocolat chaud, le téléphone sonne. Rébecca décroche et dit:

— Allô? Résidence Viau.

Il y a un silence à l'autre bout du fil.

— Allô? Qui est-ce?

Un autre silence, puis un déclic: on a raccroché. Rébecca repose brutalement le combiné.

— Qui est-ce qui t'appelait? demande le petit garçon.

— Je ne sais pas.

Lorsqu'il a fini son chocolat chaud, Rébecca donne une feuille de papier et des crayons de couleur à Étienne. Il se met à dessiner. Puis il demande à regarder son film préféré, *Les 101 Dalmatiens*. Par la fenêtre, Rébecca voit que le ciel s'assombrit de plus en plus et elle regrette de ne pas avoir pris ses bottes.

Le téléphone sonne à nouveau. Rébecca décroche :

— Allô? Résidence Viau.

Personne ne répond, mais elle entend nettement un bruit de respiration. Exaspérée, elle demande brusquement :

— Qui êtes-vous?

De nouveau, après un moment, la communication est coupée.

Rébecca raccroche en frissonnant légèrement. Ces appels sont inquiétants. Elle déteste avoir l'impression d'être surveillée. Celui qui l'appelle sait où elle est et peut la forcer à répondre à son gré. Sans pouvoir dire pourquoi, elle est certaine qu'il s'agit d'un homme. Elle se sent vulnérable.

«Peut-être que madame Viau a le service qui permet de connaître le numéro du dernier appel, se dit-elle. Il faut que je pense à le lui demander. Mais peut-être que je ne tiens pas à savoir qui fait ces appels.» Réfrénant un autre frisson, elle va s'asseoir près d'Étienne et regarde le joyeux classique avec lui.

Lorsque madame Viau rentre, le manteau trempé, Rébecca appelle sa mère pour qu'elle vienne la chercher. En attendant, elle parle des appels étranges.

Le visage de Marianne Viau prend une expression craintive ou désemparée, mais elle réplique vivement :

— Oh ! c'est ennuyant, hein ? Mais je crois qu'il se fatiguera si tu raccroches sans rien dire chaque fois que tu reçois ce genre d'appel.

— Je me demandais si vous aviez le service qui permet de composer le numéro du dernier appel, même si on n'a pas…

— Non, je n'ai pas pris ce service-là. Je ne crois pas que ce soit une bonne chose… ça ne fait qu'encourager les farceurs et leur donner l'attention qu'ils cherchent.

Deux coups de klaxon préviennent Rébecca que sa mère est arrivée. Étienne se jette dans ses bras pour lui dire au revoir.

Elle sort en courant et se dirige du côté du conducteur. Elle a obtenu son permis temporaire en septembre lorsqu'elle a eu seize ans et elle a hâte de passer l'examen et d'avoir son permis de conduire. Lui jetant un regard faussement résigné, sa mère s'assied sur le siège du passager.

Il est tard lorsque Rébecca finit son devoir de mathématiques. Dehors, il neige encore légèrement. C'est une nuit où on apprécie d'être à l'intérieur. Le regard de Rébecca fait le tour de sa chambre.

Elle n'est pas grande, mais c'est un paradis de confort plein de souvenirs. Le lit en érable à l'ancienne mode et la commode appareillée appartenaient à la grand-mère de Rébecca, qui a l'impression de par-

ticiper à l'histoire familiale. Dans sa petite bibliothèque, il y a quelques-uns de ses livres d'enfance pré-
férés : des contes de fées, des titres de la Comtesse de
Ségur et *Croc-Blanc*. Son vieil ourson en peluche est
dissimulé dans un coin discret.

Il y a également des souvenirs plus récents.
Rébecca ferme à demi ses yeux gris lorsque son
regard se pose sur une photo montrant un garçon qui
joue au volley-ball sur une plage. André Héroux !
Ils ont été un couple, un événement, du milieu de
l'année précédente jusqu'à la rentrée des classes en
septembre. Et puis, soudainement, ils ont cessé de
sortir ensemble. Rébecca ne comprend toujours pas
ce qui s'est passé. Elle a fait croire à tous, sauf à
Dani, que c'est elle qui avait pris la décision de rom-
pre ou du moins qu'ils l'avaient prise d'un commun
accord. Mais elle souffre encore.

Le téléphone sonne et elle décroche vite.

— Salut, Dani ! Bizarre, je pensais justement à
toi.

— En bien, j'espère. Puis qu'est-ce qui se passe ?

— Pas grand-chose, sauf si tu considères le fait
d'avoir fini mon devoir de maths comme une nou-
velle digne de mention.

— Tu as fini ? J'ai à peine commencé. Ça m'en-
rage tellement que j'ai dû arrêter et t'appeler pour
te raconter ce qui est arrivé. Tu connais Georges
Saulnier, le grand qui ne dit jamais un mot à personne ? Bien, lui et Bertrand Allard avaient une
affaire à régler. Après l'école, Georges attendait

Bertrand dans le terrain de stationnement. Alors Bertrand a sorti un couteau. Des gars l'ont empoigné et il n'y a pas eu de bagarre. Mais Bertrand est suspendu. Tu n'es pas désolée d'avoir manqué tout ça ?

— Oh ! Dani, ne commence pas ! Tu sais que j'ai besoin de cet emploi.

Le père de Rébecca, qui travaillait dans une importante compagnie d'informatique, vient d'être congédié en même temps que plusieurs collègues.

— Je sais. En fait, tu as de la chance : Étienne est tellement mignon. Qu'est-ce qu'il aime de ce temps-ci ?

— C'est toujours *Les 101 Dalmatiens*. Oh ! depuis deux jours, quelqu'un appelle chez lui et ne dit rien quand je décroche !

— Ouache ! Je déteste ça. La grosse respiration, comme dans les films pornos.

— Il n'a pas vraiment fait ça. C'est plutôt comme s'il ne voulait pas que je sache qui appelle.

— Je parie que c'est un amoureux de la mère d'Étienne. Il est déçu quand c'est toi qui réponds. Ou alors c'est son ex-mari qui veut revenir vivre avec elle.

— Tu regardes trop de téléromans. Je ne pense pas que le père d'Étienne appelle ou leur rende jamais visite. J'ai l'impression qu'il est complètement sorti de leur vie et je crois qu'elle préfère que ce soit comme ça.

— Ça se pourrait. Bon, il faudrait que je retourne à mes chères maths. À demain !

Après avoir raccroché, Rébecca continue à penser à l'auteur des appels bizarres. C'est peut-être quelqu'un qui compose des faux numéros et qui n'est pas assez poli pour s'excuser. Mais elle ne peut s'empêcher d'espérer qu'il cessera d'appeler, qui qu'il soit.

Chapitre 3

Vendredi, à l'heure du dîner, Rébecca et Danielle préparent leur soirée avec quelques amis. Un événement intitulé « La nuit sportive » va avoir lieu à l'école secondaire de la ville voisine. Les élèves de Potier sont invités à participer à des sports d'intérieur.

Après de longues discussions, il est entendu que Danielle ira chercher Rébecca chez les Viau lorsque la mère d'Étienne sera rentrée et l'amènera chez elle. Puis Alix Meilleur à qui sa mère prête sa voiture pour la soirée les conduira à l'autre école.

— Et n'oubliez pas, si vous ne portez pas de souliers de course, ils ne vous laisseront pas entrer dans leur gymnase !

Rébecca sourit et salue son amie. Souriant toujours, elle monte l'escalier menant au deuxième étage. Elle pousse la lourde porte en haut des marches et bascule en avant lorsque quelqu'un tire celle-ci brusquement de l'autre côté. Des bras musclés la saisissent, la remettent en équilibre et la relâchent aussitôt.

— Ça va ? demande la voix familière d'André Héroux.

À son grand désarroi, Rébecca se sent rougir.

— Oui, marmonne-t-elle. C'est juste que je poussais la porte et…

Pourquoi donne-t-elle des explications ? Et pire encore pourquoi a-t-elle l'air de s'excuser ?

— En tout cas, merci de m'avoir sauvé la vie, dit-elle en essayant de blaguer.

— Pas de problème, répond-il automatiquement.

Puis il ouvre la porte et disparaît dans l'escalier.

Rébecca regarde la porte se refermer derrière lui. Ses joues sont chaudes et elle sait qu'elle a les sourcils froncés. Pourquoi fallait-il que ce soit André ? Elle ne l'a pas vu souvent depuis la rentrée des classes. Est-ce la première fois qu'elle lui parle depuis cette pénible soirée au cours de laquelle il lui a dit qu'il « avait besoin de liberté » ou quelque chose du genre ? Il lui semble que oui.

Elle tape presque du pied de frustration. Son projet de le traiter avec une froideur polie tombe à l'eau. Puis l'aspect comique de la rencontre la frappe. « Je suppose que c'est ce qu'on appelle se jeter dans les bras d'un garçon », se dit-elle.

Lorsque les cours s'achèvent, Rébecca s'empresse de sortir. L'air est vivifiant et les rayons de soleil font briller même les branches nues des arbres. Dès qu'Étienne descend de l'autobus, Rébecca lui annonce qu'ils vont au parc.

Ils s'assoient sur un banc pendant qu'Étienne

prend son goûter. Puis elle pousse sa balançoire pour qu'il aille très haut. Ensuite, il va jouer dans le carré de sable. Rébecca retourne s'asseoir sur le banc, profitant de la tranquillité. Il n'y a pas d'autre enfant au parc, aujourd'hui. Plus loin, quatre gars jouent au basket-ball. Rébecca plisse les yeux pour voir si ce sont des élèves de son école, mais elle ne reconnaît aucun d'eux. Son regard dérive et se pose sur un homme appuyé contre un arbre. Elle a l'impression qu'il la regarde, puis il change de position et elle se rend compte qu'il surveille le jeu.

— Becca ! Viens voir ce que j'ai fait.

La voix du petit garçon est pleine de fierté et, lorsqu'elle voit son œuvre, Rébecca comprend pourquoi.

— Étienne, c'est magnifique ! dit-elle avec une admiration sincère.

— Je vais faire encore d'autres routes. Ne regarde pas.

— D'accord. Appelle-moi quand tu voudras que je vienne voir.

Se rasseyant sur le banc, Rébecca frissonne : le soleil se couche et de longues ombres s'étirent sur le sol. Elle laissera Étienne jouer encore dix minutes, puis ils rentreront.

Rébecca voit les quatre joueurs de basket-ball ramasser leurs effets et, tout en échangeant des plaisanteries, se diriger vers le banc où elle est assise. Quelque chose dans leur façon de marcher la rend mal à l'aise. Elle se réprimande : « Ne sois pas idiote, on est en plein jour. Ils traversent juste le parc. »

— Salut, la belle ! Comment ça va ?

Ils s'arrêtent devant son banc et celui qui l'a interpellée la regarde droit dans les yeux.

Rébecca détourne le regard, mais ils lui bloquent la vue. Ils sont plus vieux qu'elle pensait, sans doute dans la vingtaine.

— Eh ! J'te parle. C'est quoi ton nom ?

Il veut avoir l'air « cool » et joue les durs. Il atteint son but : Rébecca commence à avoir peur. Elle ne sait pas ce qu'il vaut mieux faire : ne rien dire ou lui répondre poliment, mais froidement ?

— Elle a pas d'nom, dit l'un des autres.

— Ouais, elle a un nom. Mais elle a trop froid pour parler.

— Ouais, elle est vraiment froide, dit celui qui lui avait adressé la parole en premier.

Il est manifestement le meneur et il jouit de son pouvoir.

— Vous devriez la réchauffer, les gars, elle est gelée.

Personne ne bouge pendant un moment, et puis deux d'entre eux s'assoient sur le banc, un de chaque côté d'elle. Celui à sa droite met son bras sur le dossier du banc. Rébecca ne le regarde pas, mais il est si près qu'elle sent sa peau frémir.

Le silence se poursuit, accentuant la tension entre Rébecca et le meneur. Maintenant, elle est non seulement effrayée, mais furieuse. Elle ne lui donnera certainement pas la satisfaction d'une réponse. Elle essaie de voir au-delà. Où est l'homme qui surveillait le jeu ? Il viendra sûrement à son secours si elle crie.

— Becca ? demande une petite voix hésitante.

Avant même d'y penser, Rébecca répond :

— Oui, Étienne.

C'est un murmure étranglé. Elle s'éclaircit la voix et dit plus fort :

— Oui, Étienne, je viens.

Ses paroles semblent dissoudre le tableau figé dans lequel elle est emprisonnée avec les quatre gars. Le quatrième, qui n'avait rien dit jusque-là, marmonne :

— Allez ! On s'en va.

Le gars à la gauche de Rébecca se lève vivement, mais celui à sa droite traîne. Il touche sa nuque en saisissant une poignée de ses cheveux.

— Mmmm, joli, dit-il doucement en laissant les cheveux glisser entre ses doigts.

Rébecca frissonne incontrôlablement et son regard croise celui du meneur qui est resté devant elle. Un sourire déplaisant plisse son visage.

— On se reverra, ma belle.

Puis ils s'en vont en se bousculant et en échangeant des plaisanteries.

Rébecca bondit sur ses pieds. Sa peur et sa colère, se transformant en un sentiment profond d'humiliation, lui font presque perdre l'équilibre. Elle a eu si peur, mais de quoi ? Tout s'est résumé à de mauvaises taquineries. Et elle a réagi comme un être faible et sans défense. Elle ne sait toujours pas ce qu'elle aurait dû faire pour les arrêter. Mais en s'avançant vers le carré de sable, elle admet qu'elle a eu raison d'avoir peur.

Étienne la regarde avec des yeux inquiets.

— Becca?

Elle s'agenouille et le prend dans ses bras en disant:

— Tout va bien, Étienne.

Elle le garde serré contre elle. Regardant par-dessus sa tête, elle aperçoit l'homme qui était appuyé contre l'arbre. Il se détourne et s'éloigne rapidement.

Chapitre 4

Pendant toute la fin de semaine, l'incident du parc obsède Rébecca. Le visage du meneur apparaît sans cesse dans ses pensées et le souvenir de la caresse sur sa nuque la fait frissonner.

Elle ne peut pas se résoudre à révéler à Danielle à quel point elle s'est sentie sans défense et honteuse.

Elle n'a rien fait. Elle est juste restée assise et a laissé l'événement se dérouler. Peut-être que si elle s'était levée et leur avait dit de s'en aller, ils seraient partis. Ou peut-être pas, mais elle n'a même pas essayé. Elle était comme un lapin figé de peur dans le faisceau des phares.

Son désir d'oublier l'incident est si fort qu'elle n'emmène pas Étienne au parc, lundi, bien que ce soit une journée ensoleillée. Mais le lendemain, elle se raisonne : « Vas-tu laisser une bande de voyous te dicter où tu peux ou ne peux pas aller dans ta propre ville ? se dit-elle. Ne fais pas le bébé ! »

Lorsqu'elle sort avec Étienne, il fait plus froid

qu'elle le pensait, mais le petit garçon veut retourner sur les balançoires.

En arrivant au parc, elle ne peut pas s'empêcher de jeter un regard circulaire. Avec soulagement, elle se rend compte que le parc n'est pas vide. Deux jeunes femmes sont assises sur le banc et surveillent des petites filles en train de se balancer. Des garçons, parmi lesquels elle reconnaît le petit frère de son amie Anne, jouent au football un peu plus loin.

Se sentant absurdement reconnaissante envers ces personnes dont la présence la protège, Rébecca installe Étienne sur une balançoire. «J'adore l'entendre rire comme ça, se dit-elle dans un élan d'affection. Il est tellement gentil. »

Après un moment, il essaie d'autres jeux, tout en se rapprochant de plus en plus de la glissoire. Rébecca sait qu'Étienne en a un peu peur et elle attend qu'il monte seul l'escalier. Lorsqu'il est en haut, elle demande :

— Est-ce que tu veux que je t'attrape ?

Il hoche la tête et elle va se placer au pied de la glissoire.

La pente est raide et il arrive brusquement dans ses bras. Un large sourire illumine son visage.

— J'y vais encore ! dit-il.

Elle l'attrape de nouveau et il éclate de rire. Au moment où elle le dépose par terre, une voix grave dit derrière elle :

— Bonjour, Étienne !

Rébecca se retourne. L'homme est vêtu d'un jean

et d'un parka brun ; une casquette de chasseur à la visière abaissée sur son front dissimule son visage. Est-ce lui qui surveillait le jeu de basket-ball la semaine précédente ?

Étienne reste parfaitement immobile ; son sourire s'est effacé. L'homme dit calmement :

— Tu ne me dis pas bonjour, Étienne ?

Fixant l'homme, l'enfant murmure :

— Bonjour !

L'homme se présente à Rébecca d'une voix courtoise, mais sèche :

— Je suis le père d'Étienne — Hervé Viau. Et tu t'appelles…

— Rébecca Harpin.

Les mots sont sortis automatiquement de sa bouche, alors que son cerveau essaie de saisir ce qu'il a dit. Le père d'Étienne ! Que fait-il ici ? Rébecca a toujours pensé qu'il vivait dans une autre ville. Elle n'a jamais rien vu indiquant qu'il rend visite à Étienne ou qu'il reste en contact avec lui. L'enfant n'a jamais parlé de son père et les rares fois où madame Viau a fait allusion à son ex-mari, elle a donné l'impression que celui-ci était sorti de sa vie pour de bon.

Hervé Viau regarde intensément Étienne mais, sous sa casquette, son expression est indéchiffrable. Puis il dit :

— Étienne, je suis venu pour t'inviter à boire un bon chocolat chaud. Tu aimerais ça ?

Comme le petit garçon ne répond pas, l'homme ordonne :

— Allez! Viens!

Il se penche pour saisir la main de l'enfant.

Étienne recule d'un pas et, quand l'homme s'approche de lui, l'enfant se colle à Rébecca.

Est-ce qu'Étienne a peur de son père? C'est difficile à dire : il paraît plus timide qu'effrayé. Ce n'est pas surprenant s'il n'a pas vu souvent son père.

Une pensée inquiétante traverse l'esprit de Rébecca : cet homme est-il vraiment le père d'Étienne? Le petit garçon ne laisse aucunement voir qu'il le reconnaît. Comment savoir? Demander à vérifier son permis de conduire?

«Cette idée n'a pas de sens, se dit-elle. Il a appelé Étienne par son prénom et il sait qu'il s'appelle Viau. Bien sûr que c'est le père d'Étienne.»

— Allez, viens, Étienne! Je n'ai pas beaucoup de temps, dit Hervé Viau d'un ton impatient.

Il fait un autre pas vers son fils. Étienne serre plus fort la jambe de Rébecca.

— Monsieur Viau, je ne crois pas... commence-t-elle.

Elle ne sait pas comment dire à cet homme, sans l'insulter, que son fils n'a pas l'air d'avoir envie de le suivre.

— Je ne peux pas laisser aller Étienne quelque part sans demander la permission de sa mère d'abord, reprend-elle. Il est sous ma responsabilité...

La bouche d'Hervé Viau se crispe.

— Je suis heureux de constater que vous prenez bien soin de mon petit garçon, mademoiselle Harpin, dit-il d'une voix glacée. Mais j'ai fait un long trajet pour voir mon fils, et je n'ai pas de temps à perdre en discussions avec vous.

Il tend les bras pour prendre Étienne. Instinctivement, Rébecca met une main sur l'épaule de l'enfant, qui cache son visage contre son jean et s'accroche des deux bras à sa jambe.

Hervé Viau se redresse. Il est furieux, maintenant. Que faire ? Elle jette un coup d'œil vers le banc, mais les deux femmes se sont levées et s'éloignent en parlant. Plus loin, les joueurs de football crient joyeusement en tombant les uns sur les autres. Il n'y a personne d'autre.

L'homme reprend calmement :

— Étienne ne semble pas à l'aise avec moi. Je ne l'ai pas vu depuis longtemps. C'est pour ça que je suis ici. Je suppose que la meilleure solution serait que vous veniez avec nous, mademoiselle Harpin. Ma voiture est là tout près.

Rassurée, Rébecca hoche la tête. Si elle les accompagne, Étienne n'aura pas peur. Et ainsi, elle ne laissera pas l'enfant partir avec un homme qu'elle ne connaît pas, et ne l'empêchera pas non plus de passer un moment avec lui, si c'est vraiment son père. Elle desserre gentiment les bras d'Étienne et lui prend la main en disant :

— Viens, Étienne, on va aller boire un chocolat chaud avec ton papa, d'accord ?

L'enfant ne dit rien, mais il marche près d'elle. Alors qu'ils s'assoient dans la voiture, Rébecca repousse une sensation de malaise. «Je serai contente quand ce sera terminé, se dit-elle. Je n'aime pas le père d'Étienne.»

Hervé Viau démarre et fonce tout droit vers le carrefour.

— Monsieur Viau, vous auriez dû tourner à gauche, lui dit Rébecca. Il y a un restaurant pas loin où ils servent du bon chocolat.

— J'en connais un meilleur, répond-il d'un ton cassant.

La sensation de malaise se ravive.

Au bout de la rue, il tourne à gauche et elle se dit qu'il veut sans doute aller au *Dunkin' Donuts* situé à environ trois kilomètres de là. C'est loin, mais au moins elle connaît leur destination.

À seize heures trente, un mardi, il n'y a pas un seul client au *Dunkin' Donuts*. Rébecca et Étienne s'assoient à une table du fond, tandis qu'Hervé Viau va au comptoir chercher les chocolats. Le serveur remplit les tasses d'un air ennuyé, puis disparaît à l'arrière du restaurant.

Hervé Viau reste un moment au comptoir, le dos tourné à Rébecca. Il paraît avoir quelque difficulté avec les tasses. Avant qu'elle puisse lui offrir son aide, il se tourne et apporte les tasses à la table.

Rébecca prévient Étienne que le chocolat est très chaud. Tandis qu'ils boivent lentement, l'homme les observe et pose à son fils quelques questions peu adaptées à son âge:

— Aimes-tu le football ? Qu'est-ce que tu apprends à l'école ?

Le reste du temps, ils se taisent. Hervé Viau, qui a promptement vidé sa tasse, semble impatient qu'Étienne vide la sienne. Rébecca aussi a très hâte de s'en aller et de ramener Étienne chez lui.

Elle songe à appeler sa mère pour lui demander de venir les chercher. Mais à la pensée de devoir expliquer ça au père d'Étienne et d'affronter sa mauvaise humeur, elle préfère attendre qu'il les reconduise.

Dès qu'Étienne a bu les dernières gouttes de son chocolat et que Rébecca lui a essuyé la bouche et les doigts, l'homme se lève.

Dehors, il neige.

— Regarde la belle neige ! dit-elle à Étienne pour mettre un sourire sur son visage fermé.

Mais il ne réagit pas et, sans un mot, se rassoit sur la banquette arrière. Il reste immobile, tandis que Rébecca lui met sa ceinture de sécurité.

À la sortie du terrain de stationnement, plutôt que de tourner à gauche pour retourner d'où ils sont partis, Hervé Viau se dirige vers le nord.

— Où allons-nous ? Monsieur Viau, je dois ramener Étienne, dit Rébecca d'une voix aiguë.

— Je prends un autre chemin… plus facile dans la neige, réplique-t-il.

Quelle mauviette ! La circulation est assez dense pour que la route soit dégagée.

Au carrefour, ils s'arrêtent au feu rouge. Rébecca ne connaît pas très bien cette section de la route, mais elle sait qu'ils devraient tourner à gauche pour revenir vers la ville. Pourquoi ne sont-ils pas dans la voie de gauche ? Alors qu'elle va lui poser la question, l'homme tourne à droite, puis immédiatement à gauche. Accélérant, il monte la rampe qui mène à l'autoroute.

Furieuse, elle se tourne vers lui et dit :

— Où allez-vous ? Monsieur Viau, je dois ramener Étienne. Sa mère va rentrer et s'inquiéter. Vous devez prendre la prochaine sortie et nous ramener en ville.

Il regarde droit devant lui avec un froncement de concentration.

— Monsieur Viau !

Sous l'effet de la colère, Rébecca a parlé plus fort qu'elle n'en avait l'intention. Mais il ne lui prête toujours pas attention. Il conduit sans jamais dépasser les autres voitures, surveillant constamment le rétroviseur.

Que se passe-t-il ? Elle lui touche le bras en disant :

— Monsieur Viau !

Sans même la regarder, il donne un coup de poing sur le bras de Rébecca.

— La ferme ! marmonne-t-il. Tu viens avec moi.

Abasourdie, Rébecca regarde fixement son profil. La peur envoie ses tentacules glacés le long de sa colonne vertébrale, alors que le mot « enlèvement » jaillit dans son esprit. Le frottement rythmique des essuie-glace est le seul son que l'on entend dans la voiture qui fonce vers le nord dans la nuit.

Chapitre 5

Rébecca est affalée sur le siège du passager de la voiture d'Hervé Viau. La chaufferette est allumée, mais Rébecca n'a jamais eu si froid. Ses mains et ses pieds sont comme des blocs de glace et, de temps à autre, un frisson incontrôlable fait trembler son corps tout entier.

Son cerveau est engourdi, lui aussi. Il est envahi de scènes vues à la télé, montrant des ravisseurs et des tueurs fous, d'innocentes victimes sautant de voitures en marche, d'accidents de voitures et de morts sanglantes. Comment est-ce possible qu'elle soit dans cette auto filant sur l'autoroute avec un petit garçon et son père qu'elle n'avait jamais rencontré, sans moyen de l'obliger à les ramener chez eux ?

La voiture ralentit et Rébecca se redresse. Elle regarde le conducteur de la voiture qui roule à côté de la leur. Mais lorsqu'elle lève la main pour attirer son attention, il accélère soudain pour les dépasser.

Elle regarde avec espoir les autres voitures, mais comprend vite qu'elle ne pourra pas obtenir d'aide ainsi. Elle n'avait jamais remarqué à quel point les gens sont isolés dans leur voiture. C'est comme si les occupants des autres véhicules n'existaient pas.

Découragée, Rébecca s'affale de nouveau sur son siège. Si elle ouvrait la vitre pour crier, personne ne l'entendrait. Elle n'a pas de quoi écrire et, de toute façon, Viau ne la laisserait pas afficher de message.

Peut-être qu'elle pourrait sauter hors de la voiture lorsque celle-ci ralentira.

Puis une pensée la frappe comme une gifle en pleine figure : même si elle réussit à se jeter hors de la voiture sans se briser les os, elle ne peut pas abandonner Étienne. Elle en est responsable.

Il est si tranquille qu'elle se demande s'il s'est endormi. Elle jette un regard vers l'arrière. Il ne dort pas. Il est assis sans bouger, les yeux grands ouverts et le regard sombre.

Elle lui adresse un faible sourire, mais son expression ne change pas. Il a l'air si seul. Elle se force à lui sourire de nouveau, puis se tourne pour regarder droit devant.

À quoi pense-t-il ? A-t-il peur ? Comprend-il que son père les emmène vers une destination inconnue ?

« Il vaut mieux que je me concentre pour trouver comment échapper à Viau », se dit-elle. C'est difficile de penser. Elle a l'impression de s'enfoncer dans un brouillard. Ses paupières sont lourdes. Si elle fermait les yeux un moment pour les reposer.

Bang ! Rébecca se cogne la tête contre la vitre et se réveille brusquement. « Qu'est-ce qui me prend ?

se demande-t-elle. Comment est-ce que je peux m'endormir dans un moment pareil ? Je dois réfléchir. »

Elle pourrait bondir au-dehors et aller se mettre à l'avant de la voiture, si celle-ci ralentit à nouveau.

Elle essaie de rester sur le qui-vive.

Le silence est oppressant et, à mesure que le temps passe, Rébecca sent la torpeur l'envahir de nouveau. Elle entrouvre la vitre pour respirer l'air vif, mais celle-ci se referme aussitôt. Leur ravisseur doit avoir les commandes sous la main.

La circulation ralentit. Rébecca voit que sa portière est verrouillée. Elle devra faire vite. Elle se redresse sur son siège et détache sa ceinture de sécurité en étouffant le déclic dans ses mains. Puis elle met une main sur le verrou de la portière et l'autre sur la poignée.

La voiture ralentit et Rébecca ouvre le verrou. Mais avant qu'elle puisse pousser la portière, le verrou se referme.

— Ne fais pas ça, dit Hervé Viau sans la regarder.

« Il savait ce que j'allais faire ! »

Elle a l'impression que cet homme, leur ennemi, peut lire dans ses pensées. Pour la première fois depuis le début de ce cauchemar, elle a envie de pleurer. Mais sa fierté le lui interdit.

Un peu plus tard, une petite voix l'appelle depuis la banquette arrière :

— Becca ?

— Oui, Étienne ? répond Rébecca en se tournant vers lui.

— Je dois faire pipi.

— D'accord, attends un peu, on s'arrêtera bientôt.

Elle regarde leur conducteur, qui ne semble pas avoir entendu la requête de son fils.

— Il faut s'arrêter, lui dit-elle. Étienne doit aller aux toilettes.

Il ne réagit pas.

— Monsieur Viau, s'il vous plaît, arrêtez-vous à la prochaine station-service. Étienne a…

— J'ai entendu, réplique-t-il d'une voix glacée.

Le voyage se poursuit en silence. Le cerveau de Rébecca bouillonne. Voilà sa chance ! Pourquoi n'y a-t-elle pas pensé plus tôt ? Fiévreusement, elle envisage tous les scénarios possibles. Si leur ravisseur la laisse emmener Étienne aux toilettes des femmes, ce sera parfait. Elle expliquera ce qui lui arrive à une femme à l'aspect responsable et lui demandera d'appeler ses parents et madame Viau ; elle lui donnera de la monnaie ou lui dira d'appeler à frais virés. Mieux encore, elle lui demandera de trouver un policier pendant qu'elle-même se cachera dans les toilettes avec Étienne.

Mais s'il emmène Étienne aux toilettes des hommes ? Rébecca aura le temps de trouver quelqu'un pour l'aider. « Je me cacherai pour lui faire perdre du temps, se dit-elle. Mais non, il pourrait me laisser là et s'en aller avec Étienne. Il faudra que je fasse vite. Mais nous ne reviendrons pas dans cette voiture. »

Elle reprend espoir. Il est seulement dix-sept heu-

res trois. Elle a l'impression qu'il est minuit, tellement elle se sent fatiguée. Tant pis, toute cette horrible affaire sera bientôt terminée.

La voiture ralentit. Il n'y a pas de station-service
en vue. Viau stationne la voiture au bord de la route,
puis il éteint le moteur.

D'une voix sans émotion, il dit à Rébecca :

— Mademoiselle Harpin, je veux que vous
m'écoutiez attentivement. Je vais emmener Étienne
se soulager au bord de la route, sous cet arbre. Vous
allez sortir et rester près de nous. Vous ne vous éloi-
gnerez pas et vous n'essaierez pas d'arrêter d'autres
voitures. Si vous faites ça, je vous assure qu'Étienne
et moi serons de retour dans la voiture et en route
plus vite que vous ne pouvez le croire possible. Je
n'ai pas l'intention de vous laisser, mais ne vous y
trompez pas, je le ferai si vous m'y forcez. Et sans
votre présence, Étienne sera malheureux et pourrait
même se blesser accidentellement. Je n'ai pas
d'expérience avec les jeunes enfants.

Bien avant qu'il ait fini de parler, Rébecca s'est
résignée. « Étienne et moi, on est prisonniers. »

Chapitre 6

Marianne Viau monte les marches devant chez elle en se tenant à la rampe pour ne pas glisser sur la neige. Elle entre : étrange, il fait tout noir !

— Étienne ? Rébecca ? Je suis rentrée !

Guettant les cris joyeux de son fils venant l'accueillir, Marianne va allumer dans le salon. La maison reste absolument silencieuse.

Marianne revient se poster au pied de l'escalier et appelle de nouveau :

— Étienne ! Descends, mon chou. Maman est là !

Rien. Elle monte. Peut-être qu'Étienne et Rébecca sont endormis. Mais il n'y a personne dans la chambre de son fils, ni dans aucune autre pièce.

Un début de panique rend son souffle court. Elle le réfrène fermement. Rébecca a probablement emmené Étienne chez un ami. Elle a dû laisser un mot sur la table de cuisine.

Mais dans la cuisine, il n'y a pas de message lui expliquant pourquoi son fils et sa gardienne ne sont pas là. Son cœur bat vite, mais Marianne refuse

41

d'admettre qu'elle a peur. Il doit y avoir une excellente explication à leur absence. Mais elle exigera désormais de Rébecca qu'elle lui laisse toujours savoir où elle emmène Étienne. C'est surprenant : Rébecca est tellement fiable.

Soudain, elle pense que la gardienne a pu être forcée de rentrer chez elle et a emmené Étienne. Elle compose le numéro de téléphone de Rébecca.

— Allô! Madame Harpin? Ici, Marianne Viau. Je viens de rentrer. Étienne et Rébecca ne sont pas là. Je me demandais s'ils étaient chez vous ou si vous saviez où ils sont.

— Euh… non, ils ne sont pas ici et je n'ai pas parlé à Rébecca cet après-midi, alors je ne sais pas ce qu'elle avait projeté de…

— Oh! bien, je vais appeler des amis d'Étienne! Ils sont probablement chez l'un d'eux et ne se rendent pas compte qu'il est tard. Mais si vous avez des nouvelles de Rébecca, demandez-lui de m'appeler immédiatement, s'il vous plaît.

— Certainement. Je ne comprends pas. Ça ne ressemble pas à Rébecca. Je vais appeler son amie Dani pour voir si elle sait où est ma fille. Mais je suis sûre que nos enfants rentreront bientôt. Et alors, pourriez-vous lui demander de m'appeler?

— Oui, je le lui dirai.

Marianne Viau raccroche brusquement. Ce n'est pas raisonnable, mais elle est irritée du fait que madame Harpin ne sache pas où est sa fille. L'inquiétude qu'elle a décelée dans la voix d'Hélène

Harpin ne sert qu'à donner plus de substance à sa propre peur.

Elle allume toutes les lampes. Puis elle apporte à la cuisine la liste des numéros de téléphone des enfants fréquentant la même garderie qu'Étienne. Elle compose un numéro d'une main tremblante et, en attendant qu'on lui réponde, elle prie silencieusement : « S'il vous plaît, faites qu'Étienne soit là ! »

Dans une autre cuisine, quelques rues plus loin, Hélène Harpin appelle Dani. Mais celle-ci, bien sûr, ne sait pas où est Rébecca.

Après avoir raccroché, Hélène fixe le mur sans le voir, tandis que des scènes cauchemardesques se succèdent dans son esprit. Et si Rébecca avait emmené Étienne au parc et qu'il s'était blessé ? Pire encore : et si une voiture avait dérapé dans la neige et les avait heurtés ? Sa fille est peut-être gravement blessée ou sans connaissance. Elle refuse de penser que sa fille puisse être morte.

Elle souhaiterait que Robert soit là. Son mari est une personne raisonnable qui ne s'énerve pas sans bonne raison ; sa présence rassurante lui manque. Mais il est parti à une entrevue pour un emploi et elle ignore à quelle heure il rentrera.

« Il est beaucoup trop tôt pour s'affoler ! » se dit-elle. Mais elle ne veut pas rester inactive.

Elle appelle au poste de police. S'il est arrivé quelque chose aux enfants, les policiers le sauront. Et ce ne sont pas tous des étrangers : Jean Delarra est le fils de son amie Catherine.

Lorsqu'il est à l'autre bout du fil, elle débite son histoire et ajoute :

— Jean ! Tu connais Rébecca ; elle n'est pas une fille irresponsable. Tu penses peut-être que je m'énerve pour rien, mais j'ai vraiment l'impression qu'il est arrivé quelque chose.

Elle se rend compte qu'elle est au bord des larmes. Avoir exprimé ses inquiétudes les rend plus réelles.

— Madame Harpin, je comprends ce que vous ressentez. Madame Viau nous a déjà téléphoné. Nous avons fait quelques appels : Rébecca et Étienne ne sont pas à l'hôpital. Nous avons envoyé une auto-patrouille chez les Viau. Ils vont faire le tour du quartier. Ce n'est pas la température la plus agréable, mais ils sont présentement en train de chercher. Dès qu'on a du nouveau, je vous tiens au courant.

— Oh ! merci, Jean !

— De rien. Et, madame Harpin, essayez de ne pas vous inquiéter. Le plus probable, c'est qu'ils sont chez un ami et qu'ils ont oublié l'heure. Je parie qu'elle va rentrer d'une minute à l'autre.

— Merci, Jean. J'espère que tu as raison.

Hélène raccroche. Une boule se loge dans sa gorge et les larmes qu'elle avait retenues roulent sur ses joues. « Oh ! Rébecca, ma douce, où es-tu ? »

Chapitre 7

Dans la voiture qui file de nouveau sur l'auto-route, Rébecca se sent davantage prise au piège. Viau ne lui a pas permis de s'asseoir sur la banquette arrière avec Étienne, bien qu'il se soit adouci suffi-samment pour sortir du coffre une couverture dont elle a enveloppé le petit garçon. Ce n'est pas aussi réconfortant que si elle le tenait dans ses bras, et elle s'avoue à elle-même que sentir l'enfant serré con-tre elle lui aurait fait autant de bien qu'à lui. Dans un élan de colère, elle songe : « Qu'est-ce qu'il pense que je pourrais faire de la banquette arrière ? L'étran-gler et faire capoter l'auto ? Pas très intelligent ! Mais il veut m'avoir sous les yeux. »

L'échec de son plan d'évasion a gravement déprimé Rébecca. Pourquoi Hervé Viau les a-t-il enlevés ? Les réponses qui lui viennent à l'esprit sont trop affreuses. Elle essaie de ne penser à rien. Elle ferme les yeux.

Lorsqu'elle se réveille, elle est désorientée. Comment a-t-elle pu s'endormir ?

L'horloge indique vingt heures dix-sept. Ils sont loin de chez elle. Elle se sent glacée, déprimée, et soudain effrayée lorsque la voiture s'engage sur une route étroite où elle dérape. Elle regarde à l'arrière. Étienne est calé contre la portière, la tête appuyée sur un coin de couverture.

Contente qu'il soit endormi, Rébecca regarde par la vitre. Une épaisse couche de neige couvre le sol et les arbres. En toute autre occasion, Rébecca se serait exclamée sur la beauté de la scène mais, pour l'instant, elle préférerait que tout soit fondu. Parce que leur ravisseur conduit trop vite et qu'elle a peur.

La route a des tournants brusques. Dans l'obscurité, les phares de la voiture creusent des tunnels vacillants à travers les flocons qui tombent en grand nombre. Les voyageurs ne croisent aucune autre voiture et la route est rendue quasi invisible par la neige accumulée depuis le passage du dernier véhicule.

Viau marmonne et, de temps à autre, Rébecca saisit un mot. Elle sait qu'il ne s'adresse pas à elle. Mais ça pourrait lui donner des renseignements. Elle fait semblant de regarder dehors, l'oreille aux aguets.

— C'est pas juste ; c'est pas correct… je vais la faire payer… ils vont tous payer pour ce qu'ils m'ont fait… on va voir si elle aime ça… ils vont payer, mais c'est trop tard…

Rébecca se presse contre la portière. Leur ravisseur parle de la mère d'Étienne, c'est elle qu'il veut faire payer, sans doute pour l'avoir séparé de son fils. Les médias rapportent continuellement des cas pareils : des parents qui n'ont pas la garde de leurs enfants les kidnappent et les cachent.

Si c'est ce qui se passe, si Viau a prévu de se cacher avec Étienne, de changer de nom, etc., pourquoi a-t-il emmené Rébecca avec eux ? Alors c'est qu'il a un autre projet : tenir Étienne en otage et exiger une rançon, ce qui est un moyen différent de faire payer son ex-femme. Puis l'idée qu'elle chassait sans cesse de son esprit se fait plus pressante : si leur ravisseur a l'intention d'exiger une rançon en échange d'Étienne et de Rébecca, puis de les laisser partir, il a agi stupidement. Ils savent qui il est et quelle est son apparence et pourront l'identifier facilement s'il est pris.

Elle laisse son esprit suivre l'idée jusqu'au bout. Hervé Viau devra les tuer tous les deux pour assurer sa sécurité après avoir obtenu la rançon. Et ce qu'il voulait dire par « faire payer » son ex-femme, c'est de tuer Étienne.

« Il est fou, se dit-elle sombrement. Il va nous tuer et c'est ma faute. » La phrase mélodramatique résonne dans sa tête, mais ne lui fait pas beaucoup d'effet. Elle ne se sent ni terrifiée ni au bord des larmes. Elle se sent seulement vide.

Le conducteur reprend son marmonnement, mais Rébecca ne l'écoute plus. Lorsque la voiture tourne et s'engage sur une route plus étroite, elle ne réagit pas. Elle a mal à la tête et se sent engourdie d'avoir dormi dans la voiture. Elle a soif aussi. Elle remarque vaguement que cette route est couverte de neige. Aucun véhicule ne l'a empruntée. La seule façon de savoir par où passer est de suivre les rangées d'arbres qui la bordent.

Hervé Viau conduit plus lentement, Dieu merci. Le temps passe comme dans un rêve. Puis, soudain, la voiture monte rapidement une longue piste abrupte qui tourne derrière d'énormes conifères.

La voiture s'arrête au sommet, les phares illuminant une cabane en bois. Rébecca voit la porte sous un large encorbellement qui forme un porche rudimentaire à l'avant de la maison. Les piliers soutenant l'encorbellement sont des troncs d'arbres couverts d'écorce, ce qui donne à l'habitation un aspect rustique.

Laissant les phares allumés, Hervé Viau sort de la voiture et marche dans la neige qui atteint déjà ses chevilles. Il s'arrête devant la porte de la cabane, près de laquelle est cloué un écriteau de bois portant l'inscription : CABANE DE RADISSON.

Hervé Viau passe la main sur le rebord au-dessus de la porte et, comme le devinait Rébecca, il y trouve une clé. Après quelques essais, il parvient à ouvrir la porte.

Il la referme immédiatement pour ne pas laisser entrer la neige et revient vers la voiture. Sans un mot d'explication à Rébecca, il fouille dans le coffre à gants. Il y prend une petite lampe de poche et retourne vers la cabane. Il secoue ses pieds à l'entrée, avant de disparaître dans l'obscurité de la demeure isolée.

« Voilà ma chance ! » se dit Rébecca. La clé est dans le contact.

Elle prend la place du conducteur, mais ses pieds n'atteignent pas les pédales. Elle cherche frénétiquement sous le siège. Après ce qui lui paraît une éternité, elle trouve la manette et avance son siège.

Elle doit faire démarrer la voiture avant que leur ravisseur sorte de la cabane. Il lui est impossible de voir dans la neige et la noirceur si elle a assez d'espace pour tourner. Mais d'autres voitures ont dû monter ici. Elle va essayer vers la droite où le terrain semble plat. Elle prie pour ne pas avoir à faire plus d'un essai.

Étienne dort toujours sur la banquette arrière. Qu'arrivera-t-il si elle ne parvient pas à s'échapper ? Hervé Viau passera peut-être sa colère sur elle — il l'a déjà frappée. Mais il se peut aussi qu'il punisse Étienne. Et ça, Rébecca ne pourrait pas le supporter.

Elle lâche la clé de contact. Elle devrait peut-être attendre une meilleure occasion pour s'enfuir. Il vaut sans doute mieux se montrer docile maintenant pour qu'il ne la surveille pas trop étroitement. S'il est trompé par une fausse impression de sécurité, il y aura d'autres occasions.

Puis Rébecca se rend compte de l'inconstance de ce raisonnement. Ce n'est pas important que Viau la trouve coopérative ou non, il ne va pas les amener à la ville la plus proche et leur donner de la monnaie pour un coup de téléphone. Elle devrait cesser de peser le pour et le contre, et agir.

Au moment où elle se dit : « Vas-y ! », Hervé Viau sort de la maison et s'avance rapidement vers la voiture.

Ce n'est pas juste ! Elle vient de laisser passer une occasion de les sauver.

Il est surpris et mécontent de la trouver assise à la place du conducteur.

— Qu'est-ce que tu fais là ? dit-il.

— …La chaufferette. Il fait si froid. Je voulais allumer la chaufferette.

Il la regarde un moment avant d'ordonner :

— Va dans la cabane !

Sans attendre qu'elle obéisse, il ouvre la portière arrière et détache la ceinture de sécurité d'Étienne. Il prend son fils dans ses bras et le sort de la voiture. Rébecca empoigne son sac à main et les suit. Les lourds flocons recouvrent les manches de son blouson et s'accrochent à ses cils. Elle n'a pas fait trois pas qu'elle sent déjà l'humidité glacée pénétrer ses bottes et lui geler les pieds. Elle porte les bottes de cuir qu'elle a reçues à son anniversaire : des bottes élégantes en cuir fin, qui ne conviennent pas à cette température. Elle les a mises ce matin parce qu'il faisait doux.

Elle entre dans la cabane : Viau a allumé plusieurs bougies. Leur lueur vacillante lui dévoile une grande pièce qui s'étend jusqu'au fond de la cabane. À l'autre extrémité, Rébecca aperçoit une cheminée devant laquelle des sièges sont groupés. Près de la porte, à sa droite, se trouvent une table solide et quatre chaises. Il y a une large ouverture dans le mur à sa gauche et elle aperçoit plus loin deux autres portes, fermées.

Viau dépose son fils sur le divan en face de la cheminée. Puis il va prendre une bûche et commence à faire un feu. Rébecca s'assied sur le divan. Elle se penche pour voir si Étienne est éveillé.

Ses yeux la fixent gravement. Envahie par une tristesse mêlée de peur, Rébecca prend l'enfant sur ses genoux. Il reste un moment immobile. Puis il se colle contre elle et elle le serre dans ses bras, regardant sans la voir la cheminée où leur ravisseur fait un feu.

Chapitre 8

Une demi-heure plus tard, les paupières de Rébecca se ferment. Elle n'a jamais été aussi fatiguée. Elle est restée assise sur le divan avec Étienne jusqu'à ce que le feu réchauffe la pièce. Puis elle a enlevé son blouson et aidé le petit garçon à enlever le sien.

Pendant ce temps, Viau s'est déplacé énergiquement dans la cabane. Elle n'a pas prêté attention à ce qu'il faisait. Il les appelle :

— Amène Étienne… c'est le temps de manger.

Elle se lève avec effort, et voit alors qu'il a mis la table. Elle porte Étienne et l'assied sur une chaise. À la lumière des bougies, elle regarde les trois bols pleins d'une nourriture non identifiable.

— Qu'est-ce que c'est ? demande-t-elle d'une voix rauque.

— Des fèves au lard. C'est tout ce qu'il y a.

Rébecca en met une cuillerée en bouche et a envie de la recracher. Les fèves sont froides et grasses.

— Je ne peux pas allumer le gaz avant le matin

quand il fera assez clair, alors on ne peut pas se servir du poêle ni du chauffe-eau, explique Viau. Il n'y a pas d'eau froide non plus. Je trouverai la manette demain.

Il montre les verres qu'il a placés devant les assiettes et ajoute :

— C'est une boisson gazeuse.

C'est la première fois qu'il parle autant à Rébecca. Elle décide d'en profiter pour essayer d'apprendre tout ce qu'elle peut sur leur situation :

— Est-ce que cette maison est à vous ?

— Oh non ! elle appartient à un ami, dit-il d'un ton moqueur. Et il ne sait pas que je suis ici. Personne ne le sait… Mange ton souper, Étienne. Tu dois avoir faim.

Appétissantes ou non, les fèves au lard sont tout ce qu'il y a à manger. Et ça ne les aiderait pas si Étienne et elle ne mangeaient pas. Malgré sa léthargie, elle est déterminée à s'enfuir de la cabane dès que l'occasion se présentera, et ils auront besoin de toutes leurs forces alors. Se contraignant à en prendre une autre bouchée, elle encourage Étienne :

— Mange, c'est comme de la nourriture de camping.

Il en mange un peu, mais bientôt sa tête dodeline et il laisse tomber sa cuillère. Rébecca le prend dans ses bras et s'apprête à le ramener sur le divan. Mais le père d'Étienne dit :

— Non, viens par ici.

Il ouvre la porte de la chambre la plus éloignée et

y apporte une bougie. Deux lits et une commode occupent presque toute la place. La chambre est froide et Rébecca est contente de voir que plusieurs couvertures sont pliées au pied de chaque lit.

Étienne s'endort continuellement et ça prend du temps à le préparer pour la nuit. Lorsqu'il est enfin couché sous des épaisseurs de couvertures, il ne veut pas que Rébecca le laisse. S'agrippant à sa main, il murmure :

— Je veux rentrer à la maison, Becca.

Son cœur se serre de pitié pour le petit garçon qui ne s'est pas plaint jusqu'à maintenant. Il doit être terrifié et perplexe. Rébecca est son seul lien avec son monde familier. Elle lui caresse le front en cherchant des paroles rassurantes à lui dire.

Finalement, elle se penche et chuchote doucement :

— Je sais que tu veux rentrer à la maison, mais on ne peut pas pour l'instant. On va s'amuser ici… C'est comme une aventure dans les bois et on est des explorateurs.

L'enfant lui jette un regard sombre et elle pense : « Il ne se laisse pas prendre au jeu et je ne le blâme pas. » Elle l'étreint et ajoute :

— Endors-toi et on se verra demain matin.

Son corps se raidit de panique.

— Où est-ce que tu vas dormir ? demande-t-il.

— Juste ici, près de toi, répond-elle en montrant l'autre lit.

Elle reste assise près de lui jusqu'à ce que les

yeux du petit garçon se ferment et que ses doigts libèrent sa main. Elle va se coucher elle aussi. Elle ne veut certainement pas aller s'asseoir en compagnie d'Hervé Viau et elle se sent épuisée bien qu'elle ait dormi dans la voiture.

Devrait-elle dormir toute habillée ou en sous-vêtements ? Elle y pense un long moment, puis se déshabille. Hervé Viau ne viendra probablement pas dans la chambre et elle n'a pas envie de porter demain des vêtements dans lesquels elle aura passé la nuit.

Rébecca souffle la bougie, se couche et ferme les yeux. Mais des pensées se succèdent sans arrêt dans son cerveau : « Comment va-t-on partir d'ici ? Est-ce que quelqu'un va deviner ce qui nous arrive ? Que va-t-il faire de nous ? C'est ma faute. Si j'avais ramené Étienne du parc, si on n'était pas montés dans son auto… »

Ses yeux se remplissent de larmes. Puis elle entend une petite voix hésitante :

— Becca ?

— Oui, Étienne ?

— Becca, j'ai peur. Je peux dormir dans ton lit ?

— Bien sûr que tu peux, mon chou. Me trouveras-tu dans le noir ?

Il ne répond pas, mais un moment plus tard, elle sent qu'il est à côté de son lit. Elle soulève les couvertures et l'aide à grimper. Son corps est si petit et fragile. Elle passe un bras autour de lui lorsqu'il se colle contre elle. Sa dernière pensée avant de sombrer dans un sommeil troublé est : « Je dois le sortir d'ici. »

Lorsqu'elle s'éveille et ouvre le yeux, Rébecca est aveuglée par la lumière éclatante passant par la petite fenêtre de la chambre. Sortant du lit avec précaution pour ne pas réveiller Étienne, elle marche sur le plancher glacé pour aller regarder dehors. Les rayons du soleil étincellent sur l'étendue blanche qui couvre le sol. À l'arrière du plateau enneigé, les arbres de la forêt sont chargés de neige. Rien ne bouge.

Puis un bruit dans l'autre chambre la ramène brutalement à la réalité. Elle tend l'oreille tout en s'habillant.

En bordant Étienne, elle a pour lui un élan d'affection et de sympathie. À l'entrée de la cuisine, elle s'arrête et Hervé Viau se tourne vers elle pour lui dire :

— Il y a de l'eau, mais elle ne sera pas chaude avant un bout de temps. Le gaz est branché, alors tu peux préparer un déjeuner pour Étienne et pour toi.

Rébecca frissonne légèrement. Ses mots sont parfaitement ordinaires, polis même, mais sa voix n'a aucune expression. Que se passe-t-il dans sa tête ?

Elle hoche la tête, puis se rend à la salle de bains. Elle grimace lorsque l'eau glacée touche son visage. Elle se rince la bouche plusieurs fois sans pouvoir faire disparaître le goût bizarre qu'elle a depuis la veille.

Lorsqu'elle sort, il est devant la porte.

— Je vais aller chercher des bûches dans la remise, dit-il. Tu restes ici. Tu m'entends ?

— Oui.

Il sort en claquant la porte.

Ce n'est qu'alors que Rébecca se rend compte de quelque chose d'important : il porte de grosses bottes lacées. Ce n'est pas ce qu'il portait la veille ; elle se souvient des marques humides laissées sur le plancher par ses souliers de course. Et il n'avait pas ces gants épais, non plus.

Elle regarde vivement autour de la pièce. S'il y a des vêtements chauds dans cette cabane, elle pourrait s'en servir lorsqu'elle se sauvera avec Étienne.

Maintenant, elle se demande de quelle remise il parlait. C'est frustrant de ne pas savoir ce qu'il y a à l'extérieur de la cabane. Par la fenêtre du salon, elle voit des traces dans la neige qui mènent hors de son champ de vision. Mais en regardant par l'autre fenêtre, plus proche de la cheminée, et en penchant la tête, elle aperçoit une grande remise à sa gauche. Viau en émerge justement, les bras chargés de bûches. Il revient vers la cabane.

Rébecca retourne prestement dans la cuisine pour qu'il ne la voie pas l'espionner. Dans les armoires, elle trouve de la vaisselle et des serviettes en papier. Mais à part une bouteille de sauce soya, ainsi qu'une salière et une poivrière, la seule nourriture consiste en huit boîtes de fèves au lard.

Lorsque Viau entre, elle examine le contenu d'un tiroir comprenant des ustensiles comme un ouvre-boîte, une spatule et des couteaux. Il la regarde fixement jusqu'à ce que sa nuque la démange et alors elle se tourne de mauvaise grâce vers lui.

— Je sors encore, dit-il de sa voix éteinte. Tu restes ici.

Il attend de nouveau qu'elle ait hoché la tête avant de ressortir.

Cette fois, elle le voit tourner à droite et disparaître dans la forêt.

C'est le moment! Rébecca retourne dans sa chambre mettre ses bottes raidies par la neige. N'apercevant pas Viau par la fenêtre de la cuisine, elle se précipite vers la porte.

L'air glacé la frappe en plein visage. Elle reste un moment sous l'encorbellement pour examiner les alentours. La voiture est devant la porte. La courbe menant à la route est ensevelie sous la neige. Elle va tout de même regarder par la vitre du conducteur. La clé n'est pas dans le contact.

Déçue, elle se tourne pour regarder la cabane. Celle-ci est bâtie dans une petite clairière entourée d'arbres serrés coupant toute vue. Et les arbres alignés de chaque côté de la courbe forment un écran impénétrable.

La courbe est-elle le seul chemin menant à la cabane? Il y a peut-être une piste dans la forêt. Rébecca ressent un urgent besoin de le savoir, de connaître les possibles chemins d'évasion. Elle avance rapidement en direction de la remise, tout en prenant soin de marcher dans les empreintes laissées par Viau. Mais au bord de la clairière, elle n'aperçoit aucun espace vide qui pourrait être le point de départ d'une piste utilisée par des skieurs ou des voisins, s'il y a des voisins.

Y a-t-il quelque chose derrière la remise? Bien que ses pieds deviennent de plus en plus glacés, Rébecca doit en savoir le plus possible sur cet endroit isolé où ils sont prisonniers. Il n'y a toujours aucun signe du retour de Viau.

La neige a été balayée par le vent contre les murs de la remise et Rébecca fait un large cercle autour. À l'arrière, la remise semble en moins bonne condition; des planches sont déclouées des murs. Il y a moyen de passer entre les arbres sans qu'il y ait de piste tracée pour autant.

Et c'est tout ce qu'il y a à voir. Rébecca ferait mieux de rentrer avant que Viau ne revienne. Elle rebrousse chemin et… s'arrête net.

Il est devant elle, si proche qu'elle a failli lui foncer dedans. Son visage sous la visière montre une colère froide. Ils se défient du regard pendant un long moment puis, avant que Rébecca puisse réagir, sa main gantée la frappe en plein visage.

Ahurie, Rébecca titube légèrement. Il la saisit par les cheveux et la tire brutalement en grommelant:

— Rentre!

Avançant maladroitement avec sa tête penchée vers l'arrière dans un angle inhabituel, elle est poussée vers la cabane et projetée à l'intérieur. Des larmes de douleur et de colère lui montent aux yeux lorsqu'il lui tire encore une fois les cheveux avant de la lâcher. Ses pieds sont gelés et elle s'assied pour enlever ses bottes. Elle ne peut pas le regarder ni échapper à sa voix :

— Je t'ai dit de rester à l'intérieur. Je m'attends à ce que tu obéisses à mes ordres. La prochaine fois que tu me désobéis, je ne serai pas aussi indulgent. Il poursuit d'un ton moqueur : Essayais-tu de t'échapper ? Maintenant, tu sais qu'il n'y a pas moyen de sortir d'ici tant que je n'aurai pas décidé que tu peux partir. Rappelez-vous ça, mademoiselle Harpin.

Il va dans la cuisine. Rébecca palpe la joue qu'il a giflée. Elle est endolorie et molle sous ses doigts. Étienne observe Rébecca depuis la porte de la chambre. Ce n'est pas dans ses habitudes d'être aussi silencieux. Et le contraste avec l'enfant communicatif qu'il est vraiment amène d'autres larmes dans les yeux de Rébecca. « Son père a raison, se dit-elle désespérément. Cette situation est sans issue. »

Chapitre 9

La matinée passe dans une sorte de brouillard. Rébecca réchauffe des fèves au lard. Puis elle prend une douche rapide dans la baignoire rouillée et donne un bain à Étienne.

Ensuite, elle cherche des moyens d'occuper le jeune garçon. Il est trop tranquille et ne la quitte pas. Mais il participe à un jeu de mikado dont les bâtonnets sont faits de brindilles ramassées près de la cheminée. Rébecca organise ensuite un jeu qui les amusait Dani et elle lorsqu'elles étaient petites. Il s'agit de traverser le salon sans toucher le sol en marchant sur des coussins et des meubles. Sauter et grimper lui permettent de dépenser de l'énergie.

Viau passe presque toute la matinée à l'extérieur. Au moment où il entre, elle aperçoit la voiture soulevée par un cric. Il met probablement des chaînes aux pneus. Peut-être qu'ils vont partir. Cet espoir la soutient tandis qu'elle raconte des histoires à Étienne.

Plus tard, elle est surprise d'entendre un bruit de moteur. Se ruant à la fenêtre, elle voit leur ravisseur conduire un petit chasse-neige. Elle l'entend long-temps et se dit qu'il déneige probablement la courbe jusqu'à la route. Son cerveau lui montre quelques images rassurantes. Puis, comme une douche froide, une autre pensée surgit: «Si on quitte la cabane, il ne nous ramènera pas chez nous. Il nous emmènera ailleurs.»

À l'heure du dîner, réchauffant une autre boîte de fèves, elle fouille le reste de la cuisine à la recherche de feuilles de papier et de crayons pour qu'Étienne puisse dessiner. Elle ne trouve qu'un bout de crayon et va abandonner lorsqu'elle découvre dans l'armoire sous l'évier quelque chose de bien plus grande valeur. Dans un fouillis, il y a ce qui semble être deux paires de bottes, des gants épais et un tas de tissu qui pour-rait être un manteau.

Juste comme Rébecca était sur le point de tout examiner, la porte d'entrée s'ouvre. Elle referme vivement l'armoire et se relève. Va-t-il leur dire de s'apprêter pour partir? Étienne, qui surveillait ce qu'elle faisait, s'accroche à sa jambe et se presse contre elle.

Mais l'homme ne leur prête aucune attention. Il prend un marteau et de longs clous dans un tiroir puis, sans un mot, il ressort. Rébecca remplit deux bols de fèves chaudes. Viau apparaît si soudaine-ment à une fenêtre de la cuisine qu'elle sursaute. Bientôt un bruyant martèlement se fait entendre: il cloue une planche au bas de la fenêtre. La cuisine s'assombrit aussitôt. Il cloue une autre planche. Un peu de lumière passe encore, mais les planches leur rappellent qu'ils sont prisonniers.

Viau barricade ainsi toutes les fenêtres. À son retour, il explique :

— Je vais aller chercher de la nourriture… et d'autres choses. Tu vas rester ici. Puisque je ne peux pas te faire confiance, j'ai barricadé toutes les fenêtres. Et je vais verrouiller la porte à double tour. Il est inutile d'essayer de t'évader.

— Ne fermez pas la porte à clé ! S'il vous plaît !… S'il y a un incendie ? On ne pourra pas sortir.

— C'est vrai, vous ne pourrez pas sortir. Alors tu es mieux de tout garder sous contrôle, réplique-t-il avec un grand sourire.

Il sort et Rébecca entend le déclic du verrou, puis le bruit du moteur qui démarre et des chaînes crissant sur la neige.

Tremblant légèrement, Rébecca continue à fixer la porte fermée. Bien qu'Étienne et elle soient prisonniers dans la cabane depuis la veille, la pensée qu'ils sont physiquement incapables d'en sortir empire leur situation. Elle se force à sourire avant de se tourner vers le petit garçon. La tête posée sur la table, il a les yeux fermés.

« Il dort vraiment beaucoup », s'étonne Rébecca. Le portant dans son lit, elle l'envie de pouvoir s'évader dans le sommeil. Mais c'est préoccupant. Normalement, il ne dort pas autant.

« Moi non plus, se dit-elle. Hier, dans la voiture, je pouvais à peine garder les yeux ouverts. Et je dormais quand on est sortis de l'autoroute, je n'ai même pas vu le numéro de la sortie. C'est étrange ! » Elle laisse d'autres souvenirs lui revenir : sa soif, le goût déplaisant dans sa bouche, la migraine qui la tourmente depuis le matin. Et si Viau les droguait ? Il a peut-être mis un somnifère dans leur chocolat chaud.

Ça paraît bien mélodramatique, mais ça a du sens. Elle se souvient qu'il est resté longtemps le dos tourné au comptoir du *Dunkin' Donuts*.

Plus elle creuse cette idée, plus elle est convaincue. Le somnifère ne lui a pas fait grand effet, mais sur Étienne ? Il dort tellement !

Rébecca va s'asseoir sur le divan devant la cheminée et réfléchit à l'étrange relation d'Hervé Viau avec son fils. Étienne ne semble pas avoir peur de son père, mais il ne lui parle jamais directement. Plus étrange encore, Hervé Viau s'adresse rarement à son fils.

« On penserait qu'il aimerait connaître son propre enfant, se dit Rébecca. S'il ne veut même pas lui parler, pourquoi est-ce qu'il l'a enlevé ? C'est comme si Étienne ne l'intéressait pas. On dirait qu'il fait juste un travail. Et quel père droguerait son propre fils ? »

Les questions qu'elle s'est déjà posées la veille au parc lui reviennent en tête : « Et si cet homme n'était pas le père d'Étienne ? Et s'il ne s'appelait pas Hervé Viau ? »

Étienne ne l'appelle jamais papa et n'agit pas

comme s'il le connaissait. «Justement, il ne le connaît pas, se dit-elle. Son père est parti peu après sa naissance. S'il n'est pas le père d'Étienne, qui est-il? Un malfaiteur que le vrai Hervé Viau a engagé pour enlever son fils? Un père prendrait mieux soin de son fils que cet homme ne prend soin d'Étienne.»

À cette pensée, l'image du père de Rébecca apparaît dans son esprit. Des larmes roulent sur ses joues: comme ses parents doivent être inquiets en ce moment. Leur enfant unique a disparu il y a près de vingt-quatre heures. Ils doivent perdre la tête, pensant qu'elle est morte et que son corps sera retrouvé dans un terrain vague. «Et ils pourraient avoir raison», songe-t-elle, tandis que ses larmes coulent plus abondamment.

Et Dani! Elle est en classe présentement. Elle doit se demander ce qui a pu arriver à sa meilleure amie. «Oh! Dani, je voudrais que tu sois là! Je voudrais ne pas être seule dans cet horrible endroit.»

Un bruit de frottement ou de grattement la fige sur place. Puis il y a un choc sourd. Étienne serait-il tombé à bas de son lit? Rébecca se précipite dans la chambre. Mais l'enfant dort paisiblement.

De retour dans le salon, Rébecca se tient immobile et tend l'oreille. Elle entend bientôt un léger bruissement provenant de la cuisine. Son cœur bat si fort qu'elle a l'impression qu'il étouffe tous les autres bruits.

Elle prend une branche dans la pile de bois près de la cheminée et, ainsi armée, elle se force à avancer, bien qu'elle ait plutôt envie de courir se cacher sous les couvertures.

La petite cuisine est vide. Elle va à la fenêtre et regarde entre les planches. Elle ne voit rien qui aurait pu causer ces bruits : pas de branche grattant la fenêtre, pas de neige tombée du toit.

Elle a regardé dans le salon, dans la chambre et la cuisine. Si elle examinait la salle de bains.

L'arme au poing, elle avance silencieusement vers la salle de bains. Elle ouvre la porte à la volée et reste figée de surprise : un grand adolescent, de race noire, très maigre, qui ne paraît pas plus âgé qu'elle, est debout sur le siège des toilettes, les bras levés vers une trappe ouverte dans le plafond. Ses yeux, écarquillés d'étonnement et de désarroi, fixent les yeux gris de Rébecca pendant un long moment. Puis il pousse un gros soupir et dit :

— Maintenant, je vais avoir des ennuis.

Chapitre 10

Rébecca regarde le garçon tout en essayant d'absorber le choc causé par sa présence. Finalement, elle lui demande :

— Qu'est-ce que tu fais ici ?

— Je dors là-haut, répond-il en montrant la trappe au-dessus de sa tête.

Rébecca ne l'avait pas remarquée. Ça doit donner accès au grenier.

— Comment es-tu arrivé ici ? demande-t-elle d'une voix rude.

Elle voit une expression circonspecte sur son visage. Il hausse les épaules et ne répond rien, continuant à la regarder d'un air méfiant.

Rébecca comprend qu'il est inquiet. Il est entré par effraction dans la cabane et il a peur qu'elle ne le livre à la police. Elle retient un éclat de rire — ce gars suppose probablement qu'elle est chez elle.

— Écoute, dit-elle, ça m'est égal que tu sois ici. Je veux juste trouver un moyen d'en sortir. Viens à la cuisine. Je ne veux pas réveiller Étienne.

Maintenant, le garçon a l'air tout à la fois prudent et confus, mais il saute à terre d'un bond léger et la suit à la cuisine. Ses yeux se posent immédiatement sur la casserole contenant le reste des fèves et il demande :

— Je peux en avoir un peu ?

— Bien sûr, répond Rébecca, surprise. Mais c'est froid. Je vais te les réchauffer…

— Pas besoin.

Il mange goulûment, tandis que Rébecca explique :

— Ça va te sembler bizarre, mais un homme appelé Hervé Viau nous a enlevés, moi et son petit garçon, Étienne — je suis sa gardienne — et il nous a emmenés ici.

— J'ai vu la lumière des phares. Et je me suis caché dans le grenier.

Il ne semble absolument pas surpris par ce qu'elle lui a révélé. À moins qu'il ne croie pas cette histoire d'enlèvement. Rébecca poursuit tout de même son récit :

— Viau est parti en voiture depuis un moment. Mais il est en colère contre moi parce que je suis sortie de la cabane ce matin alors qu'il me l'avait défendu. C'est pour ça qu'il a barricadé les fenêtres et verrouillé la porte.

Le garçon a l'air sceptique. Il jette un regard à la fenêtre et voit les planches clouées derrière.

— Tu vois, je ne te mens pas… Comment tu t'appelles ?

— Bozo. Appelle-moi Bozo.

« "Beaux os", c'est un nom approprié pour quelqu'un d'aussi maigre », songe-t-elle. Puis tout haut, elle dit :

— D'accord, Bozo. Et moi, c'est Rébecca. En tout cas, je ne sais pas ce que Viau complote. Il veut peut-être que la mère d'Étienne lui verse une rançon ou peut-être juste lui faire peur ou… Oh ! je ne sais pas !

Elle n'ajoute pas la probabilité suivante : il veut peut-être nous tuer. Mais elle voit dans le regard grave que Bozo pose sur elle qu'il a envisagé cette possibilité de lui-même.

— Je dois m'enfuir d'ici avec Étienne, poursuit-elle vivement. Et puisque tu es là, tu pourrais nous aider à nous sauver.

Il secoue légèrement la tête en disant :

— J'essaie de me sauver d'ici moi-même. J'ai vu la lumière des phares descendre la côte et je croyais que vous étiez tous partis. Si les fenêtres sont bouchées et que la porte est verrouillée, il faut trouver une autre clé.

Bien sûr ! Comment n'y a-t-elle pas pensé ?

La lumière de cette fin d'après-midi a lentement diminué, tandis qu'ils se parlaient. Soudain, un éclair éblouissant jaillit par la fente entre les planches bouchant la fenêtre.

— Le voilà ! Il revient ! Cache-toi ! bredouille Rébecca.

Bozo se précipite dans la salle de bains. Rébecca

le regarde remonter par la trappe. Elle entend le crissement des chaînes sur la neige.

— Il s'en ira probablement demain, chuchote-t-elle. Attends qu'il soit parti et puis tu pourras nous aider à nous enfuir.

Il lui lance un regard indéchiffrable.

Rébecca sort de la salle de bains et en referme soigneusement la porte. Comme c'est étrange que Bozo ait choisi de se cacher justement dans cette cabane-ci ! Quel heureux hasard ! À eux deux, ils trouveront sûrement un moyen de fuir.

Hervé Viau entre, les bras chargés de sacs. Sans un mot, il va les porter à la cuisine. D'un premier sac, il sort des articles d'épicerie.

D'un autre sac, il prend une boîte de crayons de couleur et un livre à colorier, une tablette de feuilles blanches et d'autres objets, parmi lesquels Rébecca remarque des cassettes de contes pour enfants, ainsi qu'un magnétophone.

— Becca ?

La petite voix hésitante l'appelle depuis la chambre. Étienne s'est réveillé de sa sieste. Tandis qu'elle va le voir, elle songe que les achats de Viau semblent indiquer que leur séjour dans la cabane va se poursuivre. « Je me fiche de ce qu'il a décidé, se dit-elle. On va s'en aller d'ici. »

L'après-midi n'en finit pas et Rébecca a l'impression que le temps n'a jamais passé aussi lentement. Elle se sent à la fois nerveuse et léthargique. Elle en a tellement assez de l'intérieur de la cabane qu'elle pourrait hurler. C'est heureux qu'Étienne ait de quoi s'occuper. Il colorie, puis il joue avec les petits trolls en plastique que son père lui a rapportés. Rébecca n'a pas vu ces figurines depuis des années. Elles s'empoussiéraient sans doute sur une tablette du magasin de jouets où Viau est allé, mais Étienne s'amuse bien avec elles.

Viau reste assis sur le divan à regarder le feu. Rébecca l'entend marmonner, mais ne saisit pas ce qu'il dit. Elle prépare des spaghettis pour son souper et celui d'Étienne, puis le petit garçon écoute quelques-unes des cassettes rapportées par son père. Celui-ci ne parle toujours pas à son fils et Rébecca a vraiment l'impression d'être une interprète entre les deux. Sans livres ni télévision, Rébecca ressasse sans cesse les mêmes pensées : est-ce que le monde extérieur est au courant de ce qui leur arrive ? Est-ce que madame Viau, ou la police, soupçonne qu'ils ont été enlevés et qu'Hervé Viau est leur ravisseur ? Que faire pour qu'on les trouve ou pour fuir ?

Chaque fois qu'elle entend un bruit, elle sursaute, terrifiée à l'idée que Viau découvre la cachette de Bozo. Elle est contente lorsque les paupières d'Étienne se font lourdes.

Le petit garçon veut dormir à nouveau dans son lit et elle accepte. Si se coller contre elle peut le réconforter, pourquoi pas ? Tandis qu'elle l'aide à se débarbouiller, elle se demande ce qu'il pense de leur situation. Il ne pose aucune question, comme s'il craignait de savoir ce qui se passe. Elle ne lui donne pas tort, mais elle souhaite presque qu'il pleure ou se fâche pour prouver qu'il est encore un enfant normal. Il est trop tranquille.

Elle borde Étienne et se couche près de lui dans le lit étroit. Elle n'est pas prête à s'endormir et son esprit vagabonde. Des images de ses amis défilent sur son écran mental, puis c'est au tour du visage d'André Héroux. Toujours aussi beau avec sa mèche de cheveux noirs balayant son front, il semble lui adresser un petit sourire moqueur. Elle s'imagine l'entendre dire :

— Oh! Rébecca, tu te précipites toujours tête baissée dans les catastrophes! Qui d'autre que toi pourrait se faire enlever et emprisonner dans une cabane isolée? Tu dois apprendre à être plus prudente, plus *cool*.

Rébecca secoue la tête de colère, puis cesse, de peur de réveiller Étienne; mais le petit garçon pousse seulement un soupir et se pelotonne contre elle. «Oui, c'est typique d'André Héroux! se dit-elle. C'est exactement ce qu'il dirait. Il ne serait ni secourable ni aimable, seulement préoccupé de projeter une image parfaite au cas où un recruteur d'une agence de mannequins passerait par là. Oh! bien, il est comme il est: un enfant gâté qui ne comprend rien aux autres! Je ne sais pas ce qui m'a pris de sortir avec lui.»

Mais elle le sait parfaitement. Il est le type idéal: le beau grand gars aux cheveux noirs; et il est intelligent, riche et drôle, aussi. Rébecca avait été flattée lorsqu'il l'avait invitée à sortir. Ça lui plaisait d'être vue en compagnie d'un garçon populaire et même, elle doit l'avouer, de rendre les autres filles jalouses. Ça lui avait pris du temps avant de commencer à remarquer la méchanceté de ses plaisanteries. « Je n'ai admis qu'il était médiocre qu'après qu'il m'eut laissée tomber, donc je ne peux pas m'en féliciter, se dit-elle. Avoue, Rébecca, que tu t'es sentie humiliée quand monsieur *Cool* t'a plantée là. Mais est-ce qu'il te manque ? Non ! Tu ne l'aimes même pas. Mais tu ne veux pas qu'il croie que tu lui tournes autour en espérant qu'il change d'idée. »

Soudain, l'absurdité de ses pensées la frappe. « Étienne et moi, on pourrait être morts demain, se dit-elle. Comment est-ce que je peux perdre mon temps à m'inquiéter au sujet de gens que je ne reverrai peut-être plus jamais ? » Une vague de peur glacée la submerge. Elle s'enfonce sous les couvertures et passe son bras autour du petit corps étendu à son côté. Elle doit trouver un moyen de s'échapper ; elle y est plus déterminée que jamais.

Chapitre 11

Le lendemain matin, Rébecca est fatiguée. Elle s'est réveillée souvent pour se tourner, prenant soin de ne pas réveiller Étienne, mais incapable de trouver une position confortable. Elle a un vague souvenir d'un rêve où ses parents et elle étaient en vacances. Elle s'ennuie d'eux, mais sait qu'elle doit repousser ces pensées pour se concentrer sur ce qui se passe dans la cabane enfouie sous la neige.

Elle se lève et, avec une grimace de dégoût, remet à nouveau son jean et son sweat-shirt. « Si jamais je sors d'ici, je brûlerai ces vêtements », se dit-elle.

Étienne se lève aussi et, lorsqu'il est habillé, elle lui prépare son déjeuner. Hervé Viau a fait du feu et a rentré du bois, puis il s'assied à table, le magnétophone en main. Il regarde son fils grignoter son dernier morceau de pain garni de beurre d'arachide, puis se tourne vers Rébecca. Il va se passer quelque chose, elle en frémit d'anticipation.

Finalement, Viau parle de ce ton monotone qu'il prend toujours pour s'adresser à elle :

— Je vais appeler la mère d'Étienne. Nous allons enregistrer un message que je lui ferai écouter au téléphone. Contente-toi de dire que tu vas bien et que tu n'as rien, et puis Étienne dira la même chose.

Le cerveau de Rébecca bouillonne. Voilà l'occasion de transmettre des informations au monde extérieur. Elle essaie frénétiquement de penser à des indices qu'elle pourrait glisser dans le message. Dans les livres et les émissions de télé, les prisonniers trouvent toujours des façons subtiles de déguiser de l'information pour la communiquer à leurs sauveteurs. Mais elle ne trouve rien.

Si elle parlait de la neige ou de la forêt ? Rébecca se rend compte qu'elle ignore tout à fait où ils sont. Tout ce qu'elle sait, c'est qu'ils ont fait route vers le nord par l'autoroute pendant plus de trois heures. Si elle peut mettre ce renseignement dans son message, ça aidera la police à les retrouver.

Hervé Viau la regarde attentivement. Un petit sourire flotte sur ses lèvres et il dit :

— Ne vous donnez pas la peine de mijoter quelque chose, mademoiselle Harpin. Rappelez-vous, si ce que vous dites ne me convient pas, vous pouvez simplement être effacée.

Son choix de mots la fait sursauter ; sur ce, il sourit de nouveau.

Il fait « un, deux, trois » dans le micro qu'il tend ensuite à Rébecca en disant :

— Quand je vous le dirai, vous pourrez parler. Mais n'en dites pas trop. Dites simplement à mon ex-femme que vous êtes en sécurité et qu'Étienne est avec vous. Et dites-lui qu'aujourd'hui, c'est jeudi. Mais, mademoiselle Harpin, ne dites ni mon nom ni où nous sommes. Comprenez-vous ?

Rébecca soutient son regard glacé pour ne pas lui laisser voir à quel point elle se sent vaincue. Elle finit par hocher la tête, et il pousse le bouton d'enregistrement et lui fait signe de parler.

— Bonjour, madame Viau, c'est Rébecca… Étienne est avec moi et il va bien… on va bien tous les deux.

Il n'y a rien d'autre à ajouter. Rébecca s'apprête à déposer le micro, puis ajoute vivement :

— Ah oui ! Aujourd'hui, c'est jeudi.

Viau éteint le magnétophone et approuve d'un mouvement de tête. Puis il se tourne vers son fils et dit :

— Maintenant, c'est ton tour, Étienne. Quand je te le dirai, je veux que tu dises bonjour à ta maman.

Les yeux du petit garçon s'emplissent de larmes et Rébecca est prise de colère. Comment un père peut-il faire ça à son propre fils ? Elle prend Étienne dans ses bras et le berce en disant :

— Chut ! Étienne, petit cœur, ça va, ne t'inquiète pas.

Elle regarde Viau, certaine qu'il ne forcera pas l'enfant à parler voyant à quel point ça le bouleverse. Mais l'homme tient toujours le micro, le visage dénué de compassion et Rébecca comprend qu'il n'abandonnera pas. Elle chuchote à l'oreille du petit garçon :

— C'est un jeu, Étienne. Dis : « Bonjour, maman ! » comme si tu l'appelais à son bureau. D'accord ? Est-ce que tu peux le faire ?

Après un moment, il hoche la tête. Rébecca prend le micro et Étienne dit d'une voix hésitante :

— Bonjour, maman. Je veux rentrer à la maison.

La fêlure dans sa petite voix triste serre le cœur de Rébecca et elle voudrait crier contre leur ravisseur. Est-ce qu'il n'a pas assez puni tout le monde ? Ne voit-il pas que cet enfant a besoin de rentrer chez lui ? Mais elle contient sa rage, sachant que des cris effraieraient Étienne davantage et craignant la réaction de Viau.

Elle garde l'enfant sur ses genoux tout en surveillant Viau mettre son parka. Ce dernier glisse la cassette dans sa poche et dit :

— Je vais verrouiller la porte derrière moi, alors pas besoin d'essayer de sortir.

Effectivement, elle entend le déclic du verrou.

Cinq minutes plus tard, Étienne descend de ses genoux pour aller jouer avec ses trolls. Rébecca s'émerveille de sa facilité à oublier sa tristesse et son désir de rentrer chez lui.

Alors qu'elle le regarde s'amuser, elle entend un bruit étouffé en provenance de la salle de bains. Bientôt la porte s'ouvre et Bozo passe prudemment la tête pour voir si la voie est libre. Rébecca lui fait signe d'aller dans la cuisine et l'y rejoint. Il est en train de manger une tranche de pain et en tient une autre dans sa main gauche. Il semble affamé, mais

Rébecca ne peut pas lui donner beaucoup de nourriture. Viau pourrait se rendre compte qu'il manque quelque chose de ce qu'il a rapporté la veille. Puis elle se dit que Viau ne sait pas combien de boîtes de fèves au lard il y avait en tout. Elle explique ça à Bozo et, tout en lui en faisant réchauffer une, demande :

— Pourquoi tu te caches ici ?

Il lève les yeux de la nourriture pour regarder Rébecca et répond après un moment :

— Je fais une fugue. Je me suis enfui de Saint-Ignace… C'est un centre jeunesse. J'étais dans une famille d'accueil et ils m'ont envoyé à Saint-Ignace. Mais… je ne retournerai jamais dans cette famille-là non plus.

— Alors, où est-ce que tu veux aller ? demande-t-elle en versant les fèves chaudes dans un bol.

— Aux États. Je me trouverai du travail et…

Il lui sourit pour la première fois avant d'ajouter :

— Au moins, je ne serai pas à Saint-Ignace. Rien ne peut être pire que ça.

— Et ta famille ?

— J'en ai pas. Ils sont tous morts ou disparus. Je suis dans des familles d'accueil depuis que j'ai huit ans. Et ça fait huit ans de trop.

Rébecca ne sait pas quoi dire. Passer la moitié de sa vie dans des familles d'accueil est si terrible. Mais elle ne croit pas que Bozo veuille de sa pitié. Elle va voir ce que fait Étienne. Il a bâti une maison de brindilles pour ses trolls. Il s'amuse, alors elle revient dans la cuisine.

Bozo dépose son bol vide dans l'évier et constate :

— Il vous a encore enfermés, hein ?

— Oui, et je voulais justement te demander s'il y a une sortie dans le grenier.

— Il y a une toute petite fenêtre. Mais même si tu passais par là, il n'y a rien pour te tenir pour descendre du toit. Je pourrais me sauver par là, mais toi et le petit, non.

— Si tu peux sortir, tu pourrais aller téléphoner quelque part à mes parents ou à la police pour leur dire où je suis.

L'idée de pouvoir s'échapper est tellement excitante que Rébecca doit se rappeler de baisser la voix.

Mais Bozo secoue énergiquement la tête et dit :

— Quand je sortirai d'ici, je n'irai nulle part faire des appels. Quelqu'un va me voir et me renvoyer à Saint-Ignace. Il n'y a pas beaucoup de gars de ma couleur par ici. Je serais aussi visible qu'une fourmi dans un bol de sucre.

— Oh ! Bozo, tu dois nous aider ! C'est juste un coup de téléphone. On doit s'en aller. Il nous a fait enregistrer un message avant de partir. Il va le faire entendre au téléphone à la mère d'Étienne. Il a l'intention de demander une rançon pour son fils. Mais ça peut prendre des jours et des jours. Il faut qu'on parte d'ici !

Embarrassée par le désespoir perceptible dans sa voix, Rébecca se tait.

Bozo semble comprendre sa situation pour la première fois.

— Ouais, et une fois qu'il aura la rançon…

— Becca?

Le petit garçon se glisse vers elle et s'accroche à sa jambe.

— Becca, c'est qui? demande-t-il tout bas en regardant Bozo avec curiosité.

Rébecca caresse les cheveux de l'enfant en essayant d'imaginer ce qu'elle doit dire pour expliquer la présence de Bozo. Il est d'une importance vitale d'empêcher Viau de soupçonner son existence.

— C'est mon ami secret, Étienne. Maintenant, tu connais le secret toi aussi. Mais tu ne dois pas dire mon secret à ton papa, sinon mon ami ne pourra plus venir me voir. O.K.? Tu te souviendras de ne pas parler de lui à ton papa?

— Oui, Becca, je peux garder un secret.

— C'est bien! Viens me montrer ce que tes trolls sont en train de faire.

Elle lui prend la main et l'entraîne hors de la cuisine. Dans le salon, elle s'assure qu'il s'assoit dos à la salle de bains. Elle lui parle de ses trolls et dit:

— Ces trolls sont magiques, hein, Étienne? Ils peuvent faire des choses que les gens ne peuvent pas faire.

Étienne hoche la tête d'un air sérieux et Rébecca poursuit:

— Eh bien, mon ami secret est magique, lui aussi. Il peut apparaître et disparaître, comme les fées dans les contes.

— Comme la marraine de Cendrillon?

— Comme la marraine de Cendrillon.

S'il parle d'un Bozo « magique » devant son père, ce sera comme s'il parlait d'un ami imaginaire. Rébecca voit Bozo « disparaître » dans la salle de bains pendant qu'Étienne ne regarde pas.

— Est-ce que ton ami est encore dans la cuisine ? demande le petit garçon.

— Allons voir.

Lorsqu'ils entrent dans la cuisine, Rébecca entend un grattement : Bozo est de retour dans le grenier.

— Il n'est plus là, constate Étienne. Est-ce qu'il va revenir ?

— Je ne sais pas. On ne sait jamais avec les êtres magiques.

Chapitre 12

Le détective Van Kerelin soupire. C'est dur. Parler à une femme dont l'enfant a été enlevé est l'une des choses les plus difficiles qu'il ait fait en quinze ans de carrière dans les forces de l'ordre. Présentement, la police est de plus en plus convaincue qu'il s'agit d'un enlèvement.

Buvant du café dans la cuisine de Marianne Viau, il regarde avec sympathie son visage dévasté. Il se dit qu'elle doit être épuisée. Si un de ses enfants disparaissait comme ça, sa femme et lui ne pourraient pas dormir tant qu'il n'aurait pas été retrouvé.

— Ainsi donc, madame Viau, nous avons pris contact avec nos collègues de Sainte-Adèle et, selon eux, monsieur Viau n'est pas allé à son travail depuis deux semaines. Il a dit à son employeur qu'il devait quitter la ville pour une affaire de famille, et il ne devrait pas revenir avant la fin de la semaine prochaine. Il a dit la même chose à sa concierge. Il n'a laissé aucune adresse où le rejoindre. Alors ce que j'aimerais savoir, c'est s'il a de la parenté qu'il aurait pu aller visiter.

— Mon ex-mari n'a pas de famille. Il est enfant unique et ses parents sont morts tous les deux peu de temps après qu'il ait fini ses études collégiales.

— Et d'autres membres de sa famille? Des grands-parents? Des cousins, des oncles, des tantes?

— Non, ses grands-parents sont tous morts. Il ne m'a jamais parlé de ses cousins. Oh oui! il a une tante en Ontario. Je crois qu'elle s'appelle Yvette. Mais il ne l'a jamais vue. Ils ne faisaient qu'échanger des cartes de souhaits à Noël.

— Est-ce que son dernier nom est Viau? Vous souvenez-vous dans quelle ville de l'Ontario elle vit?

— Je crois que son nom de famille est Viau — elle est la sœur du père d'Hervé. Mais je ne me souviens pas du nom de la ville.

— D'accord, je vais appeler au poste pour leur communiquer ces renseignements.

Lorsqu'il a terminé son appel, Marianne lui demande brusquement:

— S'il est en visite chez sa tante, qu'est-ce que ça nous donne?

— Si Étienne n'est pas avec lui, on saura que ce n'est pas lui qui a enlevé votre petit garçon, lui réplique-t-il gentiment.

— Mais c'est sûrement lui. Personne d'autre ne pourrait nous faire quelque chose d'aussi horrible, à Étienne et à moi. Il me déteste. Il croit que je lui ai volé son bébé.

— Vous avez sans doute raison, mais nous

devons tout vérifier juste au cas où. Et tant qu'on ne l'a pas retrouvé ou qu'on ne lui a pas parlé, essayez de vous souvenir de tous les endroits où il pourrait se cacher avec Étienne. Des endroits dont il a parlé, des endroits où il a passé des vacances, des endroits qu'il a toujours voulu visiter… tout ce qui pourrait nous donner une piste.

Marianne le regarde, les yeux pleins de larmes, et dit :

— Il ne m'a jamais parlé d'aucun endroit, excepté des Laurentides ; il voulait vivre dans les montagnes, loin des villes et des foules ; il déteste la foule. Mais vous savez déjà tout ça, et s'il n'est pas là-bas…

— On va continuer nos recherches. Ne vous inquiétez pas, nous allons retrouver Étienne.

— Il le faut ! Mon pauvre bébé ! Et pauvre Rébecca aussi !

Elle pose la tête sur la table et pleure.

Quelques rues plus loin, Robert et Hélène Harpin sont assis dans leur cuisine en compagnie de Catherine Delarra. Son fils Jean prend une part active à l'enquête, bien qu'il ne soit pas policier depuis longtemps. Catherine l'appelle tous les soirs au poste ou à son petit appartement, et elle sait que les nouvelles ne sont pas bonnes. Elle a de la peine pour ses amis Robert et Hélène, et elle va souvent leur apporter son soutien moral.

Catherine pose sa main sur le bras de son amie et demande :

— Hélène, penses-tu que tu pourrais dormir un peu ?

— Non, je ne peux pas cesser de penser à ce qui a pu arriver à ma fille et au petit Étienne, dit la mère de Rébecca. C'est ne pas savoir qui est le pire. Ne pas savoir où ils sont et ce qui leur arrive… pourquoi ils ont disparu ainsi.

— Je sais que c'est terrible. Mais je suis sûre que vous aurez bientôt des nouvelles.

— Ce qui est difficile à comprendre, c'est qu'on n'est pas sûrs que ce soit un enlèvement, et si c'est le cas, est-ce Étienne qui a été enlevé et Rébecca a juste été emmenée avec lui, ou est-ce Rébecca la victime et Étienne a été entraîné dans l'aventure ?

Catherine a le cœur serré de voir ses amis traverser une épreuve si dure et essayer de garder courage. Dieu merci, ses enfants sont adultes, quoiqu'on ne cesse jamais de s'inquiéter pour eux, quel que soit leur âge.

— J'y ai pensé et pensé, et je ne connais personne qui aurait fait ça à Rébecca. Et nous n'avons pas d'argent, alors ça ne peut pas être pour une rançon. Je ne peux pas imaginer que quelqu'un nous déteste ou déteste Rébecca au point de poser un geste aussi horrible.

— Les policiers ont interrogé tous ses amis à l'école, et André, ce gars avec qui elle sortait. Ils sont persuadés qu'aucun ne sait rien. Mais, bien sûr, tu es au courant de tout ça par Jean.

— Oui, et Jean est vraiment peiné pour Rébecca

et pour vous deux. Il dit qu'ils ont parlé à Dani.

— Oui, dit Hélène avec un soupir, et apparemment elle leur a rapporté que Rébecca avait reçu des appels bizarres quand elle était chez madame Viau. J'aurais aimé qu'elle m'en parle. J'ai l'impression qu'il doit y avoir des indices qu'on ne remarque pas, une raison pour que ce soit arrivé. Oh! je suis tellement furieuse que j'ai envie de crier et de casser quelque chose!

— Je sais comment tu te sens, dit Robert avec un petit sourire triste. C'est terrible de se sentir aussi impuissant, de ne pas pouvoir mettre la main au collet du coupable pour le secouer jusqu'à ce qu'il dise où sont Rébecca et Étienne et ce qui leur arrive. Il serre les poings et ajoute: Tout ce qu'on peut faire, c'est attendre que le téléphone sonne.

Chapitre 13

Viau est parti depuis si longtemps que Rébecca commence à imaginer qu'il a été arrêté par la police pendant qu'il téléphonait à la mère d'Étienne et que, d'une minute à l'autre, des voitures de police monteront la courbe pour les délivrer. Mais lorsqu'une voiture s'approche, c'est celle d'Hervé Viau.

Il entre et va porter un sac d'épicerie dans la cuisine. Puis il vient regarder dessiner Étienne, sans un mot. Les paumes de Rébecca sont moites de nervosité. C'est le moment qu'elle redoutait. Il ne faut pas qu'Étienne parle de Bozo à son père ou pose une question qui révèle sa présence dans la cabane.

Le petit garçon jette un bref regard à son père, puis reporte son attention sur son dessin. Il prend un crayon de cire noir et commence à barbouiller pardessus son dessin d'un oiseau turquoise. Il presse si fort que le crayon se casse.

— Becca, regarde, mon crayon est cassé.

— Ce n'est pas grave. Je vais enlever un peu de papier et tu pourras te servir du bout que tu voudras.

Mais pourquoi est-ce que tu barbouilles tout en noir ? On ne voit plus ton oiseau.

— C'était pas beau. Je ne le voulais plus.

— Je le trouvais beau, dit Rébecca, surprise de sa réflexion.

Elle le regarde tout recouvrir de noir avec application.

Très tôt, la cabane s'assombrit. Rébecca attend que Viau allume les bougies, puis elle va préparer le souper pour Étienne et pour elle. Il est tacitement entendu qu'elle ne fait pas les repas de leur ravisseur.

Alors qu'elle fait réchauffer une boîte de raviolis, Viau vient se verser un verre de jus de pomme.

— Qu'est-ce qui est arrivé à ce jus ? demande-t-il. La bouteille était pleine ce matin.

Rébecca hausse les épaules de l'air le plus nonchalant qu'elle peut, mais son cœur bat vite. Bozo a bu deux grands verres de jus. Elle ne peut pas lui en vouloir, il n'y a pas d'eau au grenier.

— On l'a bu, réplique-t-elle. L'eau n'a pas bon goût.

Elle souhaite qu'il la croie. Viau marmonne quelque chose, puis sort de la cuisine.

Après avoir fini de manger, Rébecca et Étienne vont s'asseoir devant la cheminée. Bien qu'il ait passé sa journée enfermé dans la cabane, le petit garçon est fatigué et se contente d'écouter une cassette sur le magnétophone que son père a rapporté. Ensuite, il demande :

— Raconte-moi une histoire, Becca. Une histoire avec l'homme magique.

Sous le coup de l'émotion, Rébecca a un trou pendant un moment. Puis elle dit :

— Je connais une bonne histoire à propos d'un homme magique. Écoute bien.

Et elle invente une histoire qui est très éloignée de leur réalité.

Lorsqu'Étienne est couché, elle se couche aussi, mais est incapable de se détendre. Elle écoute les menus bruits au-dessus de sa tête. Bozo est-il encore dans le grenier ou est-il sorti par la petite fenêtre dont il lui a parlé ? Est-il en route à travers bois ? Va-t-il appeler la police ? — il ne connaît pas leurs noms de famille, ni le sien ni celui d'Étienne. Il a l'air d'être un gentil garçon. Malgré sa peur d'être repris, il ne les abandonnerait sûrement pas sans rien faire pour les aider.

Quelqu'un parle dans le salon. Ils ont un visiteur ?

Sortant lentement du lit, Rébecca se rhabille et se glisse hors de la chambre. Elle entend encore la voix.

Avançant avec précaution pour ne pas faire grincer le plancher, elle entrouvre légèrement la porte pour regarder dans le salon. Elle aperçoit la silhouette de Viau assis sur le divan. Il n'y a personne d'autre, du moins pas dans son champ de vision. Puis elle comprend que Viau parle dans le micro du magnétophone. Enregistre-t-il un nouveau message pour demain ? Elle veut entendre ce qu'il dit.

— J'ai mon fils, maintenant, et je ne laisserai personne le reprendre. J'ai attendu trop longtemps et j'ai trop souffert... Tu sais de quoi je parle, Marianne, ne prétends pas le contraire... J'ai bien réfléchi, et je n'aurai pas besoin de toute la somme dont on a discuté plus tôt, seulement de la moitié de l'argent si tout va tel que je l'ai prévu... Mais je veux des promesses fermes — des promesses fermes — qu'il n'y aura pas de policiers lancés sur ma trace. Comprends-tu ? Personne ne doit me suivre ou me harceler d'aucune façon. J'ai été suffisamment harcelé pour la durée de plusieurs vies, et je ne serai pas responsable des conséquences si on désobéit à cet ordre.

Rébecca tremble violemment. Viau est tellement étrange. Elle n'entend pas tout ce qu'il dit, mais il semble vouloir garder Étienne plutôt que de le rendre à sa mère, et il veut quand même de l'argent. Il reprend :

— Les conséquences — chaque acte a ses conséquences, les tiens aussi bien que les miens, et c'est à toi de t'assurer que les conséquences sont correctes et appropriées... Comment peux-tu connaître les conséquences, demandes-tu ? Ma réponse : utilise le peu d'intelligence qui reste dans ta tête, le peu d'intelligence qui n'a pas été envahi par les pensées mauvaises qui dictent tes mauvaises actions... Je le répète : les conséquences dépendent de toi maintenant... Mon fils a de la personnalité, mais son éducation l'a rendu peureux, l'a monté contre moi, et ça va me demander beaucoup de temps pour redresser tout ça, et je dois avoir du temps… Si on ne me donne pas assez de temps, si on n'obéit pas à mes ordres, je serai forcé d'adopter un autre plan, qui n'inclura pas mon fils et la jeune fille qui s'occupe de lui ; ils sont accessoires, ils ne sont pas des éléments essentiels du plan majeur… Est-ce que je me fais bien comprendre ? Ceci ne doit pas être considéré comme une menace, seulement comme une déclaration de fait. Je ne me sers pas de menaces, mais de simples réalités factuelles, je ne suis pas comme tout le monde…

Rébecca reste figée de terreur. Cet homme est fou et, en même temps, il parsème son monologue de menaces. Si elle comprend correctement ses menaces sous-jacentes, il a l'intention de se débarrasser d'elle et d'Étienne si on n'obéit pas à ses « ordres ».

Si on obéit à ses ordres, c'est-à-dire s'il reçoit une somme d'argent et la promesse que la police n'essaiera pas de l'attraper, il emmènera Étienne avec lui quelque part — mais que fera-t-il d'elle ?

« Accessoires », voilà le mot qu'il a employé. Rébecca force son esprit à admettre ce que ça signifie : Hervé Viau va la tuer.

Lentement et péniblement, Rébecca retourne se coucher à côté d'Étienne. Il bouge sans arrêt et elle met sa main sur son épaule pour le calmer. Ses larmes coulent sur l'oreiller, tandis qu'elle songe avec désespoir : « Si on ne s'échappe pas d'ici, on va mourir tous les deux. »

Chapitre 14

Le lendemain matin, Rébecca se réveille et, pendant un instant, ne se souvient pas de l'endroit où elle est. Puis elle reconnaît la chambre, et souhaite se rendormir pour tout oublier.

Mais elle en est incapable et, bientôt, elle se lève en prenant soin de ne pas réveiller Étienne. Tandis qu'elle s'habille, elle pense : « C'est vendredi matin. Ça fait trois jours qu'on est ici. Je me demande ce que font maman et papa. »

Rébecca est surprise de constater qu'elle n'a pas beaucoup pensé à la maison depuis qu'elle est dans la cabane. Ce n'est pas par manque de temps — elle n'a que ça, du temps. Et ce n'est certainement pas parce que sa famille ne lui manque pas. Elle s'ennuie de ses parents, de ses amis, de sa maison avec une telle force qu'elle a l'impression que ça la consumera si elle se laisse envahir par cette émotion.

Mais elle doit se concentrer sur ce qui se passe ici, protéger Étienne et elle-même de l'homme qu'elle considère maintenant comme étant très perturbé, et rester alerte pour saisir toute occasion de s'enfuir. Elle aura bien le temps de penser à la maison si elle y retourne jamais. «Quand j'y retournerai», corrige-t-elle fermement, bien déterminée à ne pas se laisser abattre.

En sortant de la chambre, elle voit Hervé Viau nettoyer les cendres dans la cheminée et elle ne peut retenir un frisson en se souvenant du monologue de la veille. L'audace ou le désespoir l'amène à demander:

— Monsieur Viau, s'il vous plaît, nous laisserez-vous partir aujourd'hui, Étienne et moi? Mes parents doivent être tellement inquiets.

Il la regarde en souriant sarcastiquement et secoue la tête.

— Mais pourquoi est-ce que vous faites ça? Pourquoi est-ce que vous nous gardez ici? Oh! s'il vous plaît, dites-moi ce qui va se passer après que vous...

Elle se tait brusquement, surprise de l'accent terrifié dans sa voix et de la gaffe qu'elle a failli commettre en se référant aux projets dont il parle sur sa cassette.

— Après que quoi, mademoiselle Harpin? demande-t-il d'un ton coléreux.

— ...Après que vous ayez fait écouter le message que nous avons enregistré hier.

— Vous apprendrez ce que je choisis de vous dire, ni plus ni moins.

Elle s'en va dans la cuisine. C'est sans espoir: il est insensible à ses supplications.

Elle entend la porte de la cabane se fermer. Elle voit Viau s'asseoir dans la voiture et rester immobile. Il écoute la radio. Il veut découvrir si on fait mention d'un enlèvement pendant les nouvelles. Il restera là environ vingt minutes.

Comment peut-elle utiliser ce temps-là ? Inutile d'essayer de quitter la cabane ; il la verra dès qu'elle mettra le nez dehors. Et si elle ajoutait un message après celui de Viau ? Non, c'est trop risqué. Il l'entendra en le faisant jouer au téléphone ou il l'écoutera avant d'appeler. Il sera furieux contre elle et il aura le temps de revenir avant que les sauveteurs ne les trouvent. Non, elle ne peut pas courir le risque qu'il se venge sur elle ou sur Étienne.

Elle entend le petit garçon bouger dans la chambre et va l'aider à se lever. Le visage d'Étienne est rouge et ses yeux, un peu gonflés. Rébecca met la main sur son front, comme sa propre mère l'a fait des centaines de fois. Il lui semble que son front est trop chaud. A-t-il attrapé un rhume ? Une maladie plus grave ?

Lorsque le petit garçon éclate en sanglots parce qu'il n'y a toujours pas de céréales pour le déjeuner, Rébecca se dit qu'il n'est pas bien. « Je devrais dire à monsieur Viau que son fils est malade, se dit Rébecca. Peut-être qu'alors, il nous laissera partir… Non, je ne vais rien lui dire. Il sera furieux et me blâmera de ne pas avoir pris soin de lui. Il a dit très clairement que si tout n'allait pas comme il veut, il nous tuerait. »

Viau rentre et claque la porte. Rébecca a une envie folle de savoir ce qu'il a entendu aux nouvelles. Est-ce qu'on parle de l'enlèvement? Est-ce qu'on les cherche? Elle ignore si c'est mieux qu'on en parle ou s'il y a plus de chance qu'Hervé Viau les relâche si personne à part leurs familles ne sait qu'ils ont disparu. Mais elle déteste être complètement dans le noir. Elle se sent sans défense, comme un pion dans le jeu d'un autre.

Pendant la matinée, Rébecca et Étienne colorient dans les albums. Il a recommencé à neiger et la lumière est faible et grise. Étienne écoute une cassette, puis se plaint qu'il les a assez entendues. Rébecca le prend sur ses genoux et, discrètement, elle met la main sur son front. Il est plus chaud qu'avant.

Elle fouille dans son sac à main et y trouve du Tylenol. Dans la cuisine, elle casse un des comprimés en morceaux et en choisit un qui en représente à peu près le quart. Ça ne devrait pas être trop pour un enfant de trois ans. S'assurant que Viau ne la surveille pas, elle écrase le médicament, puis le mélange à de la confiture. Par chance, Étienne entre pour lui demander à boire et elle lui donne d'abord cette cuillerée de confiture.

Peu après, Étienne tombe endormi, un crayon dans la main. Rébecca le porte dans son lit en espérant qu'il se réveillera guéri.

Le temps passe si lentement que Rébecca a envie de crier. Elle regarde la neige tomber, puis elle fait une liste de contes à raconter à Étienne. Plusieurs de ces histoires parlent de méchantes sorcières, d'ogres, de belles-mères acariâtres et d'autres vilains personnages. Et elle se demande si c'est à déconseiller pour Étienne dans les circonstances ou si ça l'aidera d'entendre parler de héros qui se trouvent dans des situations difficiles.

Vers midi, elle se prépare un dîner : une tartine de beurre d'arachide. Elle en est dégoûtée et ne peut blâmer le pauvre petit Étienne de vouloir manger autre chose. En dînant, elle observe les allées et venues de Viau entre la remise et la cabane. Il apporte beaucoup de bûches et les empile près de la cheminée. Il craint peut-être que de grosses chutes de neige l'empêchent de sortir plus tard. Ou alors il se prépare à quitter la cabane pour un long moment.

Cette dernière supposition est confirmée lorsqu'il annonce à Rébecca qu'il va acheter de la nourriture. Elle l'a vu glisser le magnétophone dans sa poche et devine qu'il va téléphoner à nouveau à la mère d'Étienne. Elle hoche simplement la tête et il ne se donne pas la peine de répéter que la porte sera verrouillée. Rébecca frémit en constatant qu'ils ont pris des habitudes. Comment peut-on en arriver à considérer comme une existence ordinaire la vie avec un ravisseur dans une cabane isolée ? Est-ce ce qui arrive dans les prisons ? Est-ce que les détenus en viennent à prendre la vie en réclusion pour une vie normale ?

Chapitre 15

Aussitôt que la voiture disparaît, Rébecca se précipite dans la salle de bains. À son grand soulagement, la trappe est déjà ouverte et les longues jambes de Bozo pendent par l'ouverture. Elle avait peur qu'il soit parti sans qu'elle le sache.

Tandis qu'il saute légèrement par terre, elle cherche quoi lui dire pour le convaincre de téléphoner dès que possible. Il veut probablement partir bientôt.

— J'ai faim, dit-il en se dirigeant vers la cuisine.

Elle le suit en cherchant des mots persuasifs.

Bozo prend une autre boîte de fèves au lard et la vide dans une casserole pour les faire chauffer.

— Dès que j'ai mangé, je pars. J'attendais juste que le type s'en aille pour qu'il ne m'entende pas. Je vais me faufiler par la petite fenêtre du grenier et me laisser tomber en bas.

Rébecca s'apprête à lui parler du coup de téléphone lorsque, soudain, une image s'affiche sur son écran mental : Étienne, elle et Hervé Viau enfermés dans la cabane, ensevelie sous la neige pendant des jours, attendant qu'il se passe quelque chose. Elle frissonne.

« Je n'en peux plus, se dit-elle. Je ne peux pas attendre ici qu'on vienne nous libérer en craignant à chaque instant que Viau perde complètement la tête. Il pourrait décider tout à coup qu'Étienne et moi, on est « inutiles ». Mais qu'est-ce que je peux faire d'autre ? Si Bozo peut passer par la petite fenêtre, nous aussi. La seule raison pour laquelle on est dans cette terrible situation, c'est d'abord et avant tout parce que j'ai fait ce que le père d'Étienne me disait de faire en espérant que tout finirait bien. Je ne peux pas répéter la même erreur. »

— Je pensais à toi et au petit, emprisonnés ici avec ce type, dit lentement Bozo. Je ne veux toujours pas téléphoner, mais je vous aiderai à sortir d'ici, si tu veux… c'est une longue descente jusqu'au petit toit et tu ne réussirais pas toute seule.

— Oh ! Bozo, merci !

Se surprenant autant qu'elle le surprend, Rébecca prend le corps mince dans ses bras et l'étreint. Puis elle s'écarte, le visage cramoisi. Elle ne veut pas l'embarrasser, mais elle a eu si peur, sans oser se l'avouer, qu'il refuse de les aider ou qu'il soit déjà parti. L'énergie circule en elle alors qu'elle se dit : « Je n'ai pas à tout faire toute seule. »

Bozo mange les fèves à peine tièdes. Il s'arrête de mastiquer pour dire :

— D'accord, mais on part maintenant. Alors tu dois te décider.

— Oui, bien sûr qu'on vient. Je vais tout préparer.

Elle rassemble déjà la nourriture restante, à part les boîtes de conserve, trop lourdes. Elle étend du beurre d'arachides et de la confiture sur les tranches de pain. Elle fait vite, plaquant les tranches ensemble et les remettant dans le sac en plastique. Elle y met aussi le reste des biscuits et les deux pommes. « C'est peut-être stupide de préparer ça, se dit-elle, si je trouve rapidement un abri. Mais si je n'en trouve pas, il me faudra manger et Étienne n'a même pas dîné. »

Rébecca ouvre l'armoire sous l'évier : les bottes et les gants y sont encore. Sortant tout, elle constate avec déception que ce sont des bottes pour hommes aux énormes pieds. Elles ne lui tiendront pas aux pieds. Mais il est impensable qu'elle porte ses propres bottes pour marcher dans les bois. Elle jette un regard alentour, consciente que Bozo achève son repas. Et si elle les bourrait d'essuie-tout ? Ça devrait tenir si elle les lace bien serré.

Les gants épais sont raidis par des années de saleté. Mais portés par-dessus ses gants, ils lui procureront de la chaleur.

— As-tu des bottes dans le grenier ? demande-t-elle à Bozo. Sinon, tu devrais mettre cette autre paire si elle te va.

Il hoche la tête d'un air surpris. Tandis qu'il enfile les bottes, Rébecca examine le manteau qui était dessous. Il est large et très vieux, mais il la gardera au sec et au chaud.

Que pourrait-elle prendre d'autre? Une couverture — Étienne en aura bien besoin pour ne pas avoir froid. Elle évite de penser qu'une longue promenade dans la neige n'est pas recommandée pour un enfant de trois ans qui a la fièvre. Ils n'ont pas le choix. Mais du moins elle peut le tenir au chaud autant que possible.

Elle va en catimini dans la chambre chercher une couverture. Lorsqu'elle l'ajoute au paquet de nourriture, Bozo secoue la tête et dit:

— Comment vas-tu porter tout ça? Allez, Rébecca, va vite chercher le petit et sortons d'ici. Je ne peux pas attendre plus longtemps. Et quand le type reviendra, tu ne voudras pas, toi non plus, être ici.

— Je sais, je sais, mais Étienne est malade et je dois emporter de la nourriture et quelque chose qui le tienne au chaud. Je vais tout transporter dans la couverture, du moins au début et…

— Oh! viens donc! Il y a un vieux sac à dos au grenier… tu mettras ton paquet dedans.

— Oh oui! ce sera parfait! dit Rébecca en souriant.

— Mais allons-y maintenant!

Bozo enveloppe la nourriture dans la couverture et l'apporte dans la salle de bains.

Rébecca se dépêche de déchirer des feuilles de papier essuie-tout et de les tasser dans les bottes. Après y avoir mis les pieds, elle remplit les espaces vides avec d'autres morceaux de papier. Puis elle lace les bottes bien serré et fait quelques pas. Les chaussures sont lourdes et lui donnent une démarche bizarre, mais elles lui tiennent aux pieds. Elle met d'autres feuilles d'essuie-tout dans ses poches, puis va chercher Étienne.

Heureusement, elle ne l'avait pas déshabillé. Elle l'aide à mettre ses chaussures et son blouson. Elle va devoir le porter, sinon ses pieds seront mouillés en deux minutes.

Le visage d'Étienne est encore rouge et c'est difficile de le garder éveillé. Malgré sa crainte que Viau ne revienne avant qu'ils puissent partir, Rébecca retourne néanmoins à la cuisine écraser un peu de Tylenol dans de la confiture. C'est le seul moyen qu'elle ait pour faire baisser sa fièvre.

Au dernier instant, elle prend une autre couverture. Si elle doit porter Étienne, elle pourrait en faire une sorte de sac à dos. Finalement, saisissant son sac à main, Rébecca aperçoit ses bottes de cuir près du lit et éclate presque en sanglots.

Mais elle se dit : « Si le pire qui t'arrive est de perdre tes bottes préférées, tu t'en sortiras bien. »

Elle pousse Étienne dans la salle de bains. Bozo regarde par la trappe ouverte. Rébecca lui tend la couverture supplémentaire et son sac à main, en plus du grand manteau. Ensuite, dans ses bottes trop grandes, elle grimpe maladroitement sur le siège des toilettes et se penche pour prendre Étienne. Les bras et les épaules crispés sous l'effort, elle soulève lentement l'enfant. Les longs bras de Bozo saisissent le petit garçon et le tirent à travers la trappe.

Puis c'est la partie la plus difficile. Prenant une profonde inspiration, elle agrippe les bords de la trappe. Elle est plus petite que Bozo et, bien qu'elle touche facilement le plafond, elle n'a aucune prise pour se soulever jusqu'au trou.

Elle saute pour essayer de poser ses coudes au-dessus du bord, mais elle n'y parvient pas. Elle essaie encore, en vain. Alors, elle dit:

— Je ne peux pas y arriver.

Bozo passe la tête par l'ouverture et ordonne:

— Descends de là!

Il saute en bas et commande:

— Monte ici!

Rébecca grimpe à nouveau sur le siège de toilette. Bozo se penche et lui saisit les jambes. Grognant légèrement, il la soulève. Les épaules de Rébecca atteignent le niveau du plafond et elle étend les bras sur le plancher du grenier, puis elle se soulève à travers l'ouverture. Elle roule sur le côté pour lui laisser place, comme il monte à sa suite.

Un vieux sac à dos est posé contre le mur près de la petite fenêtre. Rébecca y met son sac à main par-dessus la couverture et la nourriture que Bozo y a déjà empaquetées. Il n'y a pas de place pour l'autre couverture, mais ce n'est pas grave, elle va servir à transporter Étienne.

La fenêtre est vraiment étroite. Bozo la pousse et elle s'ouvre sur des gonds comme une petite porte. Un souffle d'air glacé apporte des flocons de neige dans le grenier.

Bozo passe les deux pieds par la fenêtre et se pousse jusqu'à ce qu'il soit assis sur le rebord. Il se tourne pour se coucher sur le ventre et se laisse glisser en se retenant avec les mains au châssis. Ses épaules se coincent, mais il les dégage et il reste suspendu au bord de la fenêtre. Puis Rébecca voit ses mains lâcher prise et disparaître.

Elle se précipite et sort la tête à l'extérieur. Bozo a atterri sur l'encorbellement à l'avant de la cabane. La neige l'a retenu et il n'est pas tombé jusqu'à terre. Il lève la tête vers elle et dit :

— Envoie le petit gars.

Rébecca se tourne vers Étienne qui a l'air assez engourdi pour tomber endormi sur-le-champ. Il ne paraît ni surpris ni intéressé d'être dans le grenier. Préoccupée, Rébecca craint qu'Étienne attrape une pneumonie. Mais ils ne peuvent pas rester.

— Étienne, je vais t'aider à passer par la fenêtre et Bozo va t'attraper, dit-elle. Allons-y, mon chou.

L'enfant paraît effrayé et résiste lorsqu'elle lui prend la main. Mais Rébecca le met sur le bord de la fenêtre et l'aide à passer ses jambes de l'autre côté jusqu'à ce que son ventre repose sur le rebord. Le tenant sous les bras, elle le descend en se penchant elle-même à la fenêtre pour l'éloigner du mur. Bozo lève les bras et dit :

— Vas-y ! Je suis prêt !

Tout en souriant à Étienne, elle se penche le plus bas qu'elle peut puis, le cœur battant, elle lâche l'enfant. Elle retient son souffle tout le temps que dure la longue chute et jusqu'à ce qu'il soit en sécurité dans les bras de Bozo.

Aussitôt, Bozo se tourne et le dépose au bord de l'encorbellement, puis il passe les jambes par-dessus bord. Rébecca lance le sac à dos par la fenêtre. Il rebondit sur le bord de l'encorbellement et tombe sur le sol. Elle fait de même avec la couverture et le manteau qu'elle n'a pas mis de peur de ne pas pouvoir se glisser par l'ouverture étroite.

Elle passe ses pieds chaussés des énormes bottes par-dessus bord. Puis gigotant maladroitement, elle réussit à sortir dans le vide. C'est vraiment apeurant — et si elle ne pouvait pas... « N'y pense pas, se dit-elle avec colère. Fais-le ! »

Elle se tourne sur le ventre comme l'a fait Bozo et se pousse dans le vide. Lorsque ses épaules sont passées, elle reste un moment suspendue au rebord. Mais ses gros gants l'empêchent d'avoir une bonne prise et elle tombe en se cognant le menton à l'appui de la fenêtre. Elle atterrit à quatre pattes sur l'encorbellement.

Les larmes aux yeux, Rébecca frotte doucement son menton endolori. Mais elle est sortie ! Elle rampe jusqu'au bord et voit Bozo qui l'attend en bas avec Étienne dans les bras. La prochaine descente paraît facile après ce qu'elle vient de faire. Sans hésiter, elle se met sur le ventre, laisse pendre ses jambes aussi loin qu'elle peut et lâche tout.

Chapitre 16

Debout devant la cabane, Rébecca se rend compte qu'il neige abondamment. C'est une vraie tempête. Peut-être que Viau ne pourra pas remonter la courbe jusqu'à la cabane.

Et après? Ça ne les empêche pas d'avoir à trouver un abri le plus vite possible. Et ça ne va pas être facile. Elle ne parviendra pas à marcher rapidement dans la neige épaisse. Son cœur se serre lorsqu'elle pense qu'Étienne ne pourra pas marcher du tout. Il n'a pas de bottes et il est trop petit pour marcher dans tant de neige. «Je ne pourrai pas le porter longtemps. Marcher dans la neige épaisse avec un enfant dans les bras ou sur le dos… Je vais être épuisée en un rien de temps. Heureusement que Bozo est là.»

Rébecca met le manteau et, tandis qu'elle s'efforce de remonter la fermeture éclair, son regard rencontre celui de Bozo. Il fronce les sourcils d'un air impatient.

À l'instant où elle ramasse le sac à dos, Bozo lui dit:

— O.K., Rébecca, je m'en vais… J'espère que le petit et toi, vous allez trouver des policiers et qu'ils vont capturer ce salaud et l'enfermer.

Il lui tend Étienne en ajoutant :

— Tu vas le porter ou quoi ? Il n'a pas de bottes.

— Oh ! Bozo, tu dois nous aider ! dit-elle, visiblement très déçue. Je ne pourrai pas le porter longtemps et on doit s'en aller d'ici, et je dois l'emmener voir un médecin. Tu ne veux pas m'aider à l'amener à la ville la plus proche ? S'il te plaît ?

Mais le grand garçon secoue énergiquement la tête :

— Non, non, pas question que j'aille dans une ville par ici. Ils me renverront à Saint-Ignace, non, merci ! Je ne peux plus t'aider, Rébecca. Je dois partir pour les États.

La couverture supplémentaire est restée sur le sol. « Je ne peux pas en faire une bandoulière pour porter Étienne, il est trop lourd, se dit-elle. Et si je l'y installe comme dans un traîneau, la couverture va se mouiller presque tout de suite et Étienne va geler. Il me faudrait un traîneau. »

— D'accord, dit-elle à Bozo. Si tu ne veux pas venir avec nous, ne viens pas. Mais je vais aller voir dans la remise s'il n'y a pas un traîneau. S'il te plaît, attends-moi.

Avant qu'il puisse répondre, elle s'éloigne pour contourner la cabane. La neige retient ses grosses bottes à chaque pas et elle sent les muscles de ses jambes tirer. Elle espère trouver ne serait-ce qu'un couvercle de poubelle en guise de traîneau.

Mais lorsqu'elle ouvre la porte, elle voit qu'il n'y a que des bûches à l'intérieur. Qu'est-ce qu'elle va faire?

Bozo l'a suivie. Il secoue la tête en disant:

— Rien d'utile ici.

— Je dois trouver quelque chose.

Elle pourrait enlever quelques planches aux murs de la remise et les attacher ensemble. Les attacher avec quoi? Puis l'inspiration lui vient:

— La porte! Ça ira, si on réussit à l'enlever de ses gonds.

Son enthousiasme est contagieux puisque Bozo assied Étienne sur une bûche et vient examiner les gonds. Il dit en souriant:

— Rien de plus facile.

Sortant un canif de sa poche, il en introduit la lame sous le bord de la cheville du haut et l'extrait du gond. Il fait de même avec celle du bas. La porte tombe dans la neige.

— Comment tu vas la tirer? demande Bozo.

Bonne question! Rébecca regarde inutilement dans la remise. Étienne lui dit:

— Becca, j'ai froid!

Il y a un timbre plaintif inhabituel dans sa voix et Rébecca se reproche de s'être inquiétée pour tout au point d'oublier que le petit est malade et a besoin d'une attention spéciale.

— Attends, mon chou, je vais t'envelopper dans une belle couverture chaude.

Alors qu'elle couvre l'enfant, elle se dit : « Mais bien sûr, je vais découper des lanières dans une des couvertures et ça me servira de corde. »

Elle explique son projet à Bozo, qui répond :

— D'accord, mais dépêchons. Je veux faire du chemin avant qu'il fasse noir.

Alarmée, Rébecca observe le ciel gris et couvert, presque invisible à travers la neige qui continue à tomber lourdement. Elle ignore quelle heure il est. Et si Viau était en route présentement, revenant vers la cabane avant que les chemins soient impraticables ?

Elle ressent de nouveau l'urgence de s'en aller. Elle sort l'autre couverture du sac et Bozo commence à y découper une lanière. Mais c'est difficile : le tissu de laine ne veut pas se déchirer, et le couper avec un canif prend une éternité.

Lorsqu'ils ont enfin une lanière, un nouveau problème se présente : comment l'attacher à la porte ? Ils en viennent à considérer que la seule solution est de faire une entaille de chaque côté de la porte, d'y nouer une lanière, à laquelle ils en attacheront une autre pour tirer.

De longues minutes passent pour réaliser tout ça, et Rébecca s'attend sans cesse à voir les phares de la voiture de Viau apparaître en haut de la courbe. Des scènes dramatiques se jouent dans son esprit : Bozo l'aiderait à assommer l'homme avec une bûche, puis ils l'attacheraient avec une lanière. Et s'il saisissait Étienne et menaçait de lui faire du mal ? Et s'il avait un fusil ? Oh ! ils doivent s'en aller !

Les deux lanières sont finalement nouées au «traîneau» et Rébecca se sert d'une troisième pour attacher le sac à dos à l'autre extrémité, ainsi Étienne aura un support contre lequel s'appuyer.

Rébecca prend l'enfant qui la fixe avec des yeux endormis et lui explique :

— Tu vas t'asseoir sur la porte. C'est comme un traîneau et je vais te tirer, d'accord ?

Elle l'installe sur le traîneau improvisé et le couvre soigneusement de la couverture découpée. Il est au chaud, pour le moment du moins.

— Voilà, Étienne, on y va !

Rébecca tire sur la lanière. Celle-ci se tend dans sa main sans que la porte bouge et puis, soudainement, le traîneau avance d'un coup faisant perdre l'équilibre à l'enfant. Enveloppé dans les couvertures comme une momie, il ne peut pas se retenir avec ses mains.

Fébrilement, Rébecca détache le sac à dos et, défaisant le cocon de couvertures, elle met le sac sur la couverture juste derrière Étienne avant de le rattacher au traîneau. De cette façon, elle ne peut pas envelopper l'enfant aussi serré, mais il n'y a pas d'autre moyen de le garder en équilibre.

Avec un semblant de sourire, elle dit d'un air joyeux :

— Bon, on essaie encore !

Cette fois, le traîneau ne donne pas de secousse et elle le tire jusqu'à l'avant de la cabane. Le traîneau ne glisse pas très bien et il est lourd, mais c'est certainement mieux que d'essayer de porter Étienne.

Bozo marche à côté d'elle et ses cheveux sont couverts d'une neige qui coule sur son front en fondant. Les cheveux de Rébecca sont aussi mouillés et elle souhaite ne pas prendre froid. Mais jusqu'à présent, ses pieds sont au sec dans les énormes bottes.

Elle descend la courbe en tirant le traîneau derrière elle, refusant de songer à ce qui arrivera si Viau les rencontre à mi-chemin.

Lorsqu'ils arrivent en vue de la route qui les a amenés ici trois jours plus tôt, Bozo s'arrête et dit:

— J'ai réfléchi: cette route est le seul chemin qui mène ici et on ne sait pas de quel côté ce type est parti. Alors, ce ne serait pas intelligent que tu marches sur cette route. Tu ne sais pas quand il reviendra et tu n'auras pas de place où te cacher. Je pense que tu devrais passer par la forêt. Si tu vas par là, dit-il en pointant du doigt dans une direction, tu trouveras l'autoroute et là, il y aura des gens pour t'aider.

Il a raison: elle sera trop facilement repérable sur la route. Mais traverser la forêt toute seule avec un enfant malade la remplit de crainte. Si elle pouvait convaincre Bozo de les accompagner!

— Et toi, Bozo, qu'est-ce que tu vas faire?

— Ce que je t'ai dit: je m'en vais aux États.

— Tu ne voudrais pas...

— Non, non, je te l'ai dit, je ne peux pas courir le risque de rencontrer la police et d'être renvoyé direct là d'où je viens de m'échapper. Je suis libre et je ferai tout pour le rester.

— Mais Bozo, tu ne vois pas ? Si tu nous aides, tu seras un héros. Il y aura des articles dans les journaux et tout ça. Personne n'osera te renvoyer au centre jeunesse. Et je suis sûre que mes parents et la mère d'Étienne feront tout pour t'aider. S'il te plaît, Bozo, ne t'enfuis pas !

— Oh non ! Rébecca, tu ne m'auras pas avec des belles paroles ! Je ne compte que sur moi-même, et surtout pas sur des Blancs qui n'ont probablement jamais vu un Noir de leur vie. Mais je sais que tu es sincère, alors… merci quand même.

— D'accord. Fais ce que tu veux. Mais s'il te plaît, écris-moi ou téléphone-moi quand tu seras installé là-bas. Attends, je vais te donner mon adresse.

Elle fouille rapidement et trouve un crayon dans son sac à main. Mais elle ne trouve rien pour écrire. Prenant un billet de deux dollars dans son porte-monnaie, elle écrit dessus son nom, son adresse et son numéro de téléphone.

Elle le tend à Bozo en plaisantant :

— Ne le dépense pas avant d'avoir copié ça ailleurs ! Et Bozo, dis-moi : c'est quoi ton nom de famille.

— Thomas. Mon vrai nom, c'est Jacques Thomas, mais ils m'ont toujours appelé Bozo parce que je suis si « osseux ». Vas-y avant que le type revienne… Fais bien attention à toi, tu m'entends ?

Sa voix s'est adoucie pour dire ces derniers mots.

Rébecca a une boule dans la gorge en disant:

— Je le ferai. Et toi aussi, fais attention à toi. Bonne chance, Bozo! Et merci de nous avoir aidés à nous échapper.

Il la regarde dans les yeux encore un instant, puis il se détourne et s'enfonce dans la forêt, où il disparaît aussitôt.

Un sentiment de solitude envahit Rébecca. Comment pourra-t-elle se sauver avec Étienne?

Chapitre 17

Dans la cuisine de Marianne Viau, le détective Van Kerelin raccroche et se tourne vers le groupe de gens inquiets qui ont écouté attentivement ce qu'il disait au capitaine de police de Potier.

— Vous avez entendu? Mais laissez-moi tout reprendre point par point pour que vous sachiez ce qui se passe.

Marianne hoche vivement la tête, le visage crispé de peur. Hélène Harpin serre la main de son mari et tourne son regard vers Catherine Delarra, assise à sa gauche.

Van Kerelin fait un sourire rassurant, mais sa voix est sérieuse lorsqu'il s'adresse à Marianne:

— Nous sommes maintenant certains que votre ex-mari est le ravisseur d'Étienne et de Rébecca. Nous avons pu découvrir l'origine de son appel. Il venait d'un téléphone public quelque part sur la 125, aux environs du parc provincial de Joliette. La police provinciale a envoyé une auto-patrouille là-bas pour interroger toute personne qui l'aurait vu, mais je ne crois pas qu'ils trouveront quelque chose. Alors ce que je vous demande, madame Viau, c'est si votre ex-mari a des amis dans cette région.

— Pas que je sache, répond-elle en secouant la tête d'un air navré. Mais je n'ai pas eu de contact régulier avec lui depuis plus de trois ans, avant qu'Étienne ne soit né.

— Il a appelé d'une région très peu fréquentée en hiver, à l'exception de quelques pentes de ski. Il s'y trouve des maisons et des chalets ici et là, mais la plupart sont fermés jusqu'au printemps.

— Allez-vous faire des recherches dans toute la région? demande Robert Harpin. Il a dit très clairement qu'il ne voulait pas que la police s'en mêle.

— En effet, et c'est pour ça que nous agissons discrètement et que nous n'enverrons pas d'hélicoptères. Nous ne voulons pas, par exemple, le forcer à poser un acte qu'il regretterait plus tard. En plus, il y a une tempête de neige là-bas — des hélicoptères ne pourraient pas voler maintenant.

— Pourquoi fait-il ça? s'écrie Hélène. C'est son unique enfant. Pourquoi veut-il lui faire du mal?

— Parce qu'il veut me faire du mal, répond Marianne, les larmes aux yeux. Je suis sincèrement désolée que Rébecca soit mêlée à tout ça. Je n'aurais jamais imaginé qu'Hervé ferait une chose si terrible. En fait, je ne croyais pas qu'Étienne et moi aurions jamais de ses nouvelles. C'est difficile d'expliquer qui est Hervé. Il est très intelligent; il a fait des études en génie électrique et c'est un inventeur. Lorsqu'on s'est rencontrés, il avait un emploi intéressant dans une compagnie dynamique et il en était content. Mais il avait inventé un petit appareil quelconque et il a eu l'impression que la compagnie ne lui donnait pas assez de crédit pour ça. Il est devenu aigri et amer. Il a quitté son emploi. À ce moment-là, nous étions mariés et j'étais enceinte d'Étienne.

Hélène jette un regard de sympathie à Marianne. Elle s'imagine ce qu'elle ressentirait si l'homme qu'elle avait épousé, et le père de son enfant, faisait ce qu'a fait Hervé Viau.

— Hervé devenait de plus en plus violent et étrange. Il a commencé à dire que tout le monde était contre lui, et moi aussi. Je ne savais pas quoi faire et finalement, ça en est arrivé au point qu'il était si en colère contre moi qu'il m'a frappée et m'a jetée par terre. Je ne pouvais plus penser à d'autres moyens de l'aider, alors je l'ai quitté.

— C'était avant la naissance d'Étienne ? demande Van Kerelin. Et vous ne l'avez pas revu depuis ?

— Bien sûr, quand Étienne est né, je le lui ai fait savoir. Il a appelé deux ou trois fois pour dire qu'il aimerait voir le bébé, puis il ne venait pas. La seule fois où on s'est vus, Étienne avait environ un an. On s'est rencontrés au zoo où on a passé une heure ensemble. Et c'est tout. Je ne tenais pas à continuer de le voir.

— Et la garde d'Étienne ? En avez-vous discuté ensemble ? demande Van Kerelin.

— Oh non ! il n'en a jamais parlé ! répond Marianne. Je ne pense pas qu'il soit capable de s'occuper d'un enfant. Nous avons eu une séparation très nette : il ne paie aucune pension pour Étienne et n'a pas de droits de visite officiels. Je pense qu'après mon départ, il est devenu encore plus renfermé et bizarre. Environ un an après qu'il eut quitté son emploi, l'endroit où il travaillait a été détruit par un incendie, et je me suis demandé…

— Mais cet appel… dit Hélène. On dirait qu'il veut avoir Étienne et qu'il pense que vous accaparez son enfant.

— Je sais. Je ne comprends pas pourquoi.

— Ça me donne l'impression qu'il a ruminé ses problèmes et est devenu encore plus bizarre, jusqu'à dépasser les bornes, dit Robert. Mais ça ne nous aide pas à le retrouver.

— Au moins, nous avons une idée de l'emplacement de sa cachette. Tout ce que nous apprenons sur lui complète le portrait. Notre priorité est la sécurité d'Étienne et de Rébecca. Et n'oublions pas : il a dit qu'il rappellerait au sujet de l'argent. Alors, il nous reste du temps.

— Ne t'inquiète pas, Hélène ; la police les trouvera, dit Catherine. Et je suis sûre que les enfants sont bien : tu les as entendus hier au téléphone.

Hélène aimerait la croire. Hier, c'est si loin, et la voix de Rébecca était seulement sur une cassette. Qui pourrait dire quand cette cassette a été faite ? Plus Hélène en apprend sur Hervé Viau, plus elle est terrifiée. L'homme est instable et dangereux, et sa fille et le fils de Marianne sont encore entre ses griffes.

Chapitre 18

Rébecca patauge péniblement dans la neige, s'arrêtant régulièrement pour essuyer la sueur sur son front de sa main gantée. Ce n'est pas exactement marcher qu'elle fait, c'est plutôt s'enfoncer à chaque pas dans un trou profond. C'est incroyablement épuisant ! S'il y a une piste dans ces bois, elle ne la voit pas. Elle ne peut que choisir les espaces entre les arbres qui paraissent les plus praticables, et parfois c'est trompeur. Certains espaces paraissent dégagés, mais en fait la neige dissimule des broussailles dans lesquelles elle se prend les pieds et qui lui bloquent la route, la forçant à rebrousser chemin et à trouver un autre passage.

Elle est contente d'avoir les grandes bottes imperméables. Sans elles, ses pieds seraient mouillés et gelés. Mais ce n'est pas facile de marcher avec. Le manteau aussi devient de plus en plus lourd à mesure qu'il absorbe de l'humidité, et ses épaules la font souffrir sous ce poids supplémentaire. Elle ne peut pourtant pas l'enlever. Son propre blouson et son jean seraient trempés en une minute, et la pensée du tissu glacé contre sa peau la fait frissonner.

Elle s'arrête pour changer la lanière de main. Les muscles de ses bras tremblent de fatigue et ça fait mal de se tordre le bras et l'épaule vers l'arrière pour tirer le traîneau.

Le stupide traîneau! Rébecca a l'impression qu'il a du caractère, et un sale caractère en plus. Il s'accroche à chaque brindille, à chaque tige, à chaque branche de chaque buisson, sans parler des pierres cachées sous la neige et des arbres pas tout à fait assez écartés les uns des autres pour laisser passer le traîneau. Elle jure en revenant pour la millième fois déloger une branche obstinée prise à l'avant du traîneau.

Il fait sombre dans les bois. À certains endroits, les arbres forment un dais qui empêche la neige de tomber sur eux, mais elle a appris qu'il suffit du plus léger choc contre un conifère géant pour provoquer une avalanche. C'est déjà arrivé deux fois et elle a dû enlever la neige du traîneau et des couvertures avec ses gants.

Elle s'inquiète encore plus à propos d'Étienne. Il s'est retiré dans un lieu secret. Elle a d'abord cru qu'il s'était endormi, mais elle voit ses immenses yeux bruns la fixer. Ils sont profondément cernés, et son visage est très pâle, excepté une vive rougeur sur chaque joue.

Rébecca ramasse un peu de neige propre et la met dans sa bouche. Elle est en sueur malgré le froid ambiant. Quelle distance a-t-elle parcourue? Et quel trajet doit-elle encore faire avant d'atteindre l'auto-route et la civilisation?

Elle voit à sa montre qu'il est un peu plus de quinze heures. Mais le ciel gris et bas ainsi que la neige incessante portent à croire qu'il est plus tard.

Rébecca doit se presser. S'ils sont encore dans la forêt la nuit venue, elle se perdra.

Mais elle est si fatiguée. Des récits de voyageurs perdus viennent la hanter. Des mots comme épuise-ment, déshydratation et inanition forment un refrain hypnotique dans son esprit. Peut-être qu'elle devrait s'arrêter et construire un petit fort de neige où ils passeraient la nuit. Puis demain matin, lorsqu'elle sera moins fatiguée, ils continueront leur route.

L'idée est si tentante qu'elle regarde autour d'elle pour trouver un bon endroit. Puis elle se dit: «Attends une minute! Quelle distance est-ce qu'on a parcou-rue depuis la cabane? Ce serait terrible de construire un abri et être bêtement découverts par Viau qui nous ramènerait en captivité.»

De toute façon, ils seront très visibles demain. Elle ne peut pas compter trouver du secours tout de suite, même lorsqu'elle sera sur l'autoroute. Cette région est assez déserte en hiver et la tempête de neige retient les gens chez eux. Alors si Viau va les chercher sur l'autoroute demain matin, il les verra tout de suite.

Rébecca pousse un soupir de frustration. Elle observe Étienne qui regarde fixement le sol, et s'agenouille près de lui pour lui demander:

— Étienne, est-ce que ça va ?

— Oui. Mais, Becca, je veux rentrer à la maison.

— Moi aussi, mon chou. Est-ce que tu as soif ? Est-ce que tu veux lécher un peu de neige et la laisser fondre dans ta bouche ?

— O.K.

Elle fait une boule de neige propre et la lui tend. Il y goûte un peu, puis dépose la boule à côté de lui.

Elle en est alarmée. Il est certainement très malade pour ne demander ni à boire ni à manger en ce moment. Proche du désespoir, elle entend de terribles paroles résonner dans sa tête : « Et s'il meurt ? Je l'ai peut-être rendu plus malade en l'emmenant dans le froid. Mais on ne peut pas retourner à la cabane ! »

Elle entend un léger bruit derrière elle. « Oh non ! ça ne peut pas être déjà monsieur Viau ! » Rébecca se tourne pour lui faire face, protégeant Étienne inconsciemment avec son propre corps.

Mais c'est Bozo. Il suit lentement sa piste et la salue silencieusement d'un geste de la main.

— Bozo ! Pourquoi ?… Qu'est-ce que tu…

Il la regarde, puis pose son regard sur l'enfant et dit d'un ton bourru :

— Je ne pouvais pas vous abandonner. Je me disais que tu n'y arriverais pas toute seule. C'est trop dur de marcher dans cette neige. Alors, voilà, je me suis dit qu'il vaudrait mieux que je vienne t'aider, au moins jusqu'à l'autoroute.

Rébecca sent les larmes lui emplir les yeux, tandis qu'elle lui sourit en disant :

— Oh ! Bozo, tu ne peux pas savoir comme je suis contente de te voir ! J'étais sur le point d'abandonner.

— Ouais, et tu n'es pas allée loin. Avançons.

Bozo prend la lanière et se met à tirer. Rébecca le suit en s'essuyant les yeux. Le traîneau tasse la neige, c'est donc plus facile de marcher derrière. Mais ça n'explique pas complètement son énergie retrouvée. C'est la présence d'une autre personne pour partager le fardeau qui lui fait du bien.

Ils vont beaucoup plus vite qu'avant. De sa position derrière le traîneau, elle voit les obstacles sur lesquels il pourrait s'accrocher et peut lui faire changer de direction ou le pousser pour les éviter. Cela leur épargne bien des pertes de temps.

Les paupières d'Étienne se ferment et Rébecca se dit qu'il va dormir. Elle le recouvre de son mieux en espérant qu'il aura assez chaud même s'il ne bouge pas.

Un peu plus tard, Bozo s'arrête et s'étire le dos.

— C'est à mon tour de tirer, lui dit Rébecca.

La nuit est proche. Rébecca essaie de presser le pas pour sortir du bois avant la noirceur.

Tout à coup, elle titube. La lanière vient de se casser à l'endroit où elle frotte contre le traîneau. Rébecca noue les deux bouts, mais s'aperçoit que l'usure est visible à plusieurs autres endroits. « Oh ! tiens bon jusqu'à ce qu'on soit tirés d'affaire ! » supplie-t-elle.

— Regarde ! dit Bozo.

Et il fait un geste vers les arbres devant eux, à leur droite.

— Tu vois cette lumière ? dit-il encore. C'est une auto sur l'autoroute.

Rébecca aperçoit une faible lueur qui bouge sur la neige.

— On n'est plus très loin, dit-elle avec un grand sourire.

— Ouais.

Il lui prend la lanière des mains et se met à tirer en direction de la lumière.

Mais ce n'est qu'une demi-heure plus tard qu'ils voient l'autoroute à travers les arbres. Elle n'est visible que parce qu'une voiture y circule lentement et que ses phares créent un halo lumineux. Après son passage, la route s'évanouit dans son environnement sombre.

Alors qu'elle s'en approche, Rébecca devient nerveuse. Elle finit par crier à Bozo :

— Attends !

Lorsqu'il se tourne vers elle, elle voit à peine son visage dans le noir.

— On devrait peut-être rester parmi les arbres. Marchons le long de la route, mais pas assez près pour qu'un conducteur nous voie. J'ai peur que monsieur Viau nous cherche, surtout s'il est rentré et qu'il a vu nos traces dans la neige.

— Non, c'est mieux si on marche au bord de l'autoroute. On ira plus vite que dans la neige. Et ne t'en fais pas, on verra les phares des voitures d'assez loin.

— Je ne sais pas, peut-être que tu as raison, mais ça m'inquiète.

— De toute façon, on a un autre problème : la lanière va nous lâcher bientôt. Et si je dois porter Étienne, ce sera plus facile sur la route.

Rébecca se rend compte que Bozo ne parle plus de les quitter dès qu'ils auront atteint l'autoroute. «Il néglige sa propre chance de s'en sortir pour s'assurer qu'on est sauvés, se dit-elle avec reconnaissance. Je ne suis pas sûre que je le ferais, si j'étais dans sa situation. On dirait qu'il se sent responsable de nous.»

— D'accord, dépêchons-nous, allons sur l'autoroute, dit-elle tout haut.

La dernière étape à travers les conifères et les buissons semble sans fin, mais finalement ils atteignent l'espace sans arbres qui longe la route. C'est en contrebas et, pour l'instant, ils sont invisibles pour les occupants des voitures qui viendraient à passer. Jusqu'à présent, ils n'ont vu qu'une seule voiture.

— Est-ce qu'on tire le traîneau là-haut ? demande Rébecca en montrant la pente qui mène à la route.

— Non, ça ne vaut pas la peine. S'ils ont étendu du gravier, ça ne glissera pas. On a de la chance que la lanière ait tenu aussi longtemps.

En disant ça, il donne un coup à la lanière, qui se casse immédiatement.

— Comment est-ce qu'on va porter Étienne et tout le reste ?

— Mangeons maintenant.

Il a raison : ça leur rendra de l'énergie et ça allégera leur charge. Elle donne un sandwich à Bozo et demande à Étienne :

— Est-ce que tu veux manger un peu ?

Mais le petit garçon secoue la tête, ce qui ranime les inquiétudes de Rébecca. Elle avale son sandwich, puis met une pomme dans sa poche et tend l'autre à Bozo en disant :

— Tu la mangeras plus tard. Je laisse les biscuits dans le sac. Dépêchons-nous. J'ai peur qu'Étienne ne soit encore plus malade.

— D'accord. Donne-moi une des couvertures. S'il est malade, on doit le garder au chaud.

Rébecca s'assied sur le traîneau et tient Étienne dans ses bras, tandis que Bozo essaie, sans grand succès, de nouer une couverture autour de lui. « Il doit y avoir une façon simple de le faire, se dit-elle. Dans d'autres cultures, les gens transportent tout le temps des choses dans des carrés d'étoffe. Comment ils font ? »

Puis elle en a une image mentale. Elle se lève et dit :

— Laisse-moi essayer.

Elle plie la couverture en diagonale pour faire un double triangle qu'elle met autour de la taille de Bozo avec le pli vers le bas et les pointes dirigées vers son menton. Dans le dos, elle croise les bouts et les tend à Bozo par-dessus ses épaules en lui disant de les tenir.

Elle soulève Étienne et le donne à Bozo qui le serre contre sa poitrine. Le petit garçon met ses bras autour du cou de Bozo et ses jambes autour de sa taille couverte par la couverture. Puis Rébecca noue les coins de la couverture ensemble aux épaules de Bozo, attachant une des pointes de l'avant au bout de gauche que tient Bozo et l'autre à celui de droite.

Bozo met ses bras autour d'Étienne pour soutenir son poids.

Rébecca range l'autre couverture dans le sac à dos. Elle l'emporte au cas où ils devraient s'asseoir dans la neige.

Ce n'est pas facile de grimper la pente glissante avec de grosses bottes aux pieds et un sac au dos, mais c'est encore pire pour Bozo. Finalement, elle trouve une méthode efficace : elle grimpe de deux pas, ancre ses pieds et prend la main de Bozo pour qu'il ait une prise.

Et ils atteignent l'autoroute. Rébecca ignore où est située la ville la plus proche. Elle surveille les deux directions pour apercevoir une lueur indiquant la présence d'une habitation. Mais le ciel couvert et la neige qui tombe les empêchent de voir à plus de quelques mètres.

Rébecca enlève un gant et touche la joue d'Étienne. Sa peau est froide.

— Il faut l'emmener chez un médecin, dit-elle.

— Ouais, allons-y, alors.

Ils se mettent en route côte à côte. La route a été déneigée et ils avancent d'un bon pas.

Ils pourraient être sur Mars ou au pôle Nord. Il n'y a aucun signe de vie autre que la leur et aucun indice de civilisation. Le silence est total. C'est étrange et légèrement effrayant, mais excitant aussi. Et elle l'apprécierait dans d'autres circonstances. Maintenant, elle guette un signe permettant de croire qu'Étienne sera bientôt en sécurité et au chaud.

Et puis, derrière eux, se fait entendre un faible son rythmé. C'est une voiture : le son est celui de chaînes à neige sur des pneus.

— Voilà une voiture, dit Rébecca. Il faut l'arrêter pour qu'ils emmènent Étienne chez un médecin.

— Non, Rébecca ! ordonne Bozo. C'est probablement le père d'Étienne et qui sait, il a peut-être un fusil. Cachons-nous pendant qu'il passe. On arrivera bientôt à une ville.

Suivant son propre conseil, Bozo grimpe lourdement sur un tas de neige qui a été poussé par un chasse-neige. Il tend la main à Rébecca pour l'aider.

La voiture se rapproche. Rébecca voit les phares et non uniquement une lueur. Elle hésite. Et si Bozo a raison et que c'est Viau ? Elle fait un pas vers Bozo.

Mais non, il doit être retourné à la cabane depuis des heures et est probablement en train de suivre leur trace dans la forêt. Quelles sont les chances que ce soit sa voiture ? Il est plus probable que ce soit celle de quelqu'un d'autre. Et ça pourrait leur pren-

dre des heures pour trouver une maison habitée —
il doit surtout y avoir des chalets dans cette région et
ils perdront un temps précieux à frapper aux portes
de maisons vides. Et Étienne va de plus en plus mal.

Torturée par l'indécision, Rébecca regarde la voiture approcher. Et soudain, elle est convaincue que
Bozo a raison : c'est Hervé Viau. Il les cherche. Elle
doit se cacher.

Mais alors qu'elle s'apprête à grimper sur le tas
de neige, les phares l'éblouissent. Rébecca entend
le bruit du moteur changer, et le rythme des chaînes
aller plus vite. Le conducteur accélère et il fonce sur
elle.

Chapitre 19

Rébecca reste un moment pétrifiée par la peur. Puis elle entend Bozo hurler :

— Rébecca ! Grouille-toi !

Elle se retourne et court vers lui. Elle trébuche et manque de tomber. Mais Bozo est monté sur le tas et elle saisit la main qu'il lui tend. S'y agrippant comme si c'était une question de vie ou de mort, elle escalade le banc de neige. Bozo la tire vite vers lui et puis, gardant un œil sur la voiture qui approche, il l'entraîne plus loin le long de l'accotement. La voiture accélère près d'eux, dérapant follement et frappant le tas de neige à l'endroit où se tenait Rébecca. Elle poursuit sa course folle, s'écartant de l'accotement pour aller prendre l'autre voie en sens interdit.

Sous le choc, Rébecca cherche son souffle, serrant toujours la main de Bozo. De son autre main, le grand garçon presse Étienne contre sa poitrine et Rébecca aperçoit l'expression terrifiée sur le visage de celui-ci. Puis, regardant par-dessus son épaule, elle voit la voiture glisser en effectuant un demi-tour complètement incontrôlé. Elle attend la collision qui va avoir lieu puisque le véhicule va percuter les arbres de l'autre côté de l'autoroute.

Mais le conducteur a une chance incroyable. Il redresse sa voiture sans rien toucher et s'arrête un moment, dans le sens contraire de la direction d'où il est venu. Puis les pneus crissent en tournant dans la neige alors que le conducteur presse l'accélérateur. Prenant de la vitesse, le véhicule fonce de nouveau vers eux, les tenant dans l'éblouissant tunnel de ses phares, comme des papillons empalés sur des épingles.

Rébecca en a la certitude maintenant : le conducteur est Hervé Viau, et il essaie de les tuer tous. Elle sait que c'est sa faute. Si elle s'était cachée avec Bozo et avait laissé passer la voiture, ils seraient en sécurité plutôt qu'immobilisés dans la trajectoire d'une force meurtrière.

Tout cela lui traverse l'esprit en un instant. Puis elle se sent renversée. Bozo, tenant Étienne serré étroitement contre lui et protégeant la tête de l'enfant de sa main libre, s'est jeté contre elle. Elle s'effondre, et les deux garçons tombent par-dessus elle. Ils roulent en bas de l'accotement et sur la pente jusqu'au fossé.

Rébecca entend au-dessus d'eux le vrombissement du moteur poussé à plein régime. Puis le véhicule passe par-dessus le bord de l'autoroute et semble planer dans les airs pendant un moment, comme si des ailes lui avaient été ajoutées comme on en voit aux voitures dans les dessins animés. Mais ceci est la vraie vie. Plongeant dans l'espace, la voiture se dirige droit vers un grand pin entouré d'arbres plus petits.

Le bruit de l'impact est assourdissant dans le paysage silencieux. Rébecca voit avec horreur le grand pin se casser en deux et sa moitié supérieure tomber lentement dans la neige. La voiture s'effondre sur le sol avec fracas et se met à flamber. Le conducteur est prisonnier des flammes. Un mélange d'horreur, de pitié et de soulagement traverse la jeune fille.

Puis il y a d'autres sons : les bruits ordinaires d'une portière qu'on claque et de gens qui parlent sur un ton animé. Elle bondit sur ses pieds. Deux silhouettes sont penchées au bord de l'accotement.

— Est-ce qu'on devrait descendre et…

— Non, personne n'aurait pu survivre à une chute pareille. Pauvres gens. Allons en ville signaler l'accident à la police.

Ils s'éloignent.

— Attendez ! crie Rébecca.

L'homme et la femme regardent de nouveau et Rébecca leur fait de grands gestes des bras.

— Regarde, Armand, il y a quelqu'un en bas.

— Au secours ! crie Rébecca. Aidez-nous !

Bozo est assis, tenant toujours Étienne contre lui ; mais lorsque les voyageurs arrivent près d'eux, il est debout à côté de Rébecca.

— Comment vous en êtes-vous sortis ? demande Armand d'une voix étonnée.

— On n'était pas dans la voiture, répond Rébecca. On marchait, on essaie d'arriver à une ville et il a essayé de nous écraser. Vous voyez, il nous a enlevés, du moins Étienne et moi, et on s'est échappés, et on essayait…

Ses dents claquent, tout son corps tremble.

— C'est une longue histoire, dit Bozo. Mais le petit garçon est malade, et il faut l'emmener chez un médecin. Pensez-vous que vous pouvez…

— Bien sûr ! s'écrie la femme. Pauvres enfants ! Venez vous réchauffer dans la voiture.

Ils grimpent une fois de plus la pente enneigée, aidés par des mains secourables. Au sommet, Rébecca se tourne : la voiture brûle encore, mais les flammes ont diminué. Une odeur repoussante flotte dans l'air. Avec un frisson convulsif, Rébecca se dirige vers la voiture qui les attend et s'assied sur la banquette arrière avec Bozo. Se penchant, elle écarte la couverture qui couvre Étienne et prend la main de l'enfant dans la sienne.

Chapitre 20

Une semaine a passé, et pour Rébecca la vie commence à reprendre son cours normal. Les premiers jours suivant leur fuite ont été pleins d'agitation.

Pour commencer, les Morissette (le couple qui les a rescapés) les ont conduits au village voisin. Comme Rébecca insistait pour amener Étienne chez un médecin, les Morissette les ont conduits à la clinique locale. Tandis qu'Armand Morissette appelait la police, le docteur Rouleau les a fait entrer dans une salle d'examen. Madame Morissette a suivi Rébecca et Bozo, qui n'avait pas lâché Étienne.

— Quel est le problème ? demanda le docteur Rouleau au petit groupe.

— Voici Étienne, répondit madame Morissette. On croit qu'il fait de la fièvre.

Le médecin prit l'enfant des bras de Bozo et l'examina. Quelques instants plus tard, il dit :

— Sa température n'est pas très élevée, juste un peu au-dessus de 37,5°C. Depuis combien de temps a-t-il de la fièvre ?

— Depuis hier, répondit Rébecca. J'en suis presque sûre, mais je n'avais pas de thermomètre.

Le médecin parut étonné, mais il ajouta :

— Ça ne semble pas très grave. Je crois que c'est un rhume. Ce qu'il lui faut, c'est du repos et du Tylenol ou un équivalent.

— Oh ! tant mieux ! s'écria Rébecca qui avait l'impression qu'un énorme poids était enlevé de ses épaules. Je m'inquiétais tellement pour lui.

— Vous êtes la mère de l'enfant ? demanda le médecin.

Rébecca secoua la tête et commença à raconter toute l'histoire, encouragée par madame Morissette. À la fin de son récit, elle était épuisée. D'une voix tremblante, elle demanda :

— Je peux utiliser votre téléphone pour appeler mes parents ? Ils ne savent même pas que nous sommes sauvés.

— Bien sûr, dit le docteur Rouleau, encore sous le coup de l'étonnement. Il y a un appareil à la réception.

Rébecca composa le numéro familier et serra le combiné dans sa main en entendant la sonnerie. Sa mère décrocha :

— Allô ?

— Maman ! dit Rébecca d'une voix faible. Maman, c'est moi, Rébecca, je vais bien ; en fait tout va bien.

— Oh ! merci, mon Dieu ! dit Hélène Harpin en ravalant ses larmes. Robert ! C'est Rébecca !

Ensuite, tout se mêle en un brouillard de paroles et d'activité. Rébecca et Bozo racontent leur histoire au détective Lionni de la police locale, et puis à Hélène et à Robert Harpin et à Marianne Viau à leur arrivée quelques heures plus tard. Il y a beaucoup d'allées et venues de policiers, et Rébecca entend des bribes de conversation au sujet de la voiture accidentée de Viau et de leurs efforts pour rejoindre le propriétaire de la cabane.

Le détective Lionni parle longuement à son collègue Van Kerelin. Lorsqu'il raccroche, il s'adresse à Rébecca et à Bozo :

— J'aurais encore beaucoup de questions à vous poser, mais je pense que vous en avez assez pour ce soir. Monsieur et madame Harpin, resterez-vous dans la région cette nuit ou…

— Oh non ! dit Hélène. On rentre chez nous.

Elle regarde Marianne Viau qui tient Étienne sur ses genoux et le serre comme si elle ne voulait jamais le lâcher, et lui demande :

— Si ça vous va, Marianne ?

Celle-ci hoche la tête.

— Bon, et qu'allons-nous faire de toi ? dit le sergent Lionni, les yeux fixés sur Bozo.

Le silence dure jusqu'à ce que Rébecca ne puisse plus le supporter.

— Vous ne pouvez pas le renvoyer à ce Saint-quelque chose, dit-elle. Bozo nous a sauvé la vie ! Sans lui, Étienne et moi, on serait dans les bois gelés à mort ou…

Elle frissonne en imaginant Viau suivant leurs traces dans la neige.

Son père met sa main sur les siennes et intervient :

— D'accord, ma chérie, ne t'inquiète pas. Sergent, le garçon peut venir chez nous, du moins pour le moment. Nous en serons responsables jusqu'à ce… bien, jusqu'à ce que tout rentre dans l'ordre.

Il regarde Bozo qui est affalé sur une chaise, l'air méfiant et effrayé.

— Est-ce que ça te va, mon garçon ? demande Robert Harpin.

Étonné, Bozo le regarde, et puis sourit.

— Oui, bien sûr, c'est très bien… Merci.

Un jeune homme entre au poste de police et demande à parler aux victimes de l'enlèvement. C'est le premier d'une armée de journalistes qui vont interroger Rébecca et Bozo. Au début, c'est excitant, puis ils se fatiguent de répondre toujours aux mêmes questions.

Sur le chemin du retour, Rébecca apprend enfin ce que ses parents ont ressenti et ont pensé durant ces terribles heures. Lorsqu'ils arrivent à Potier, Robert stationne sa voiture devant la maison de Marianne Viau et l'aide à descendre avec Étienne profondément endormi dans ses bras.

— Oh ! Rébecca ! dit Marianne. Comment pourrais-je assez te remercier d'avoir pris soin d'Étienne durant cette horrible aventure ? Et comment pourrais-je me faire pardonner que tu aies eu à la vivre ?

«C'est bizarre qu'elle croie que c'est sa faute, pense Rébecca. Je pensais que c'était la mienne.»

— Je viendrai rendre visite à Étienne, demain, si vous êtes d'accord ?

— Bien sûr que je le suis. À demain, alors.

Comme ils continuent leur route, Rébecca est incapable de se détendre jusqu'à ce que la voiture tourne le coin de la rue et qu'elle aperçoive sa maison. À l'intérieur, tandis que sa mère fait chauffer une soupe et prépare la chambre d'amis pour Bozo, Rébecca compose le numéro de téléphone de son amie. Lorsque celle-ci répond, elle dit doucement :

— Dani, c'est moi !

Et puis, pour la première fois depuis l'enlèvement, elle éclate en sanglots.

Pendant la fin de semaine, Rébecca et Bozo passent plusieurs heures au poste de police avec le détective Van Kerelin, essayant de compléter le tableau de toute l'affaire.

Les policiers ont décidé, sans preuve réelle, que les appels étranges reçus par Rébecca chez Marianne Viau avaient été faits par le père d'Étienne. Selon Van Kerelin, il aurait cherché à enlever son fils en dehors de la maison, pour que ce soit plus facile pour lui et pour qu'il y ait moins de témoins.

Les parents de Rébecca lui rapportent tout ce que Marianne a raconté sur son ex-mari. Plus elle en apprend sur son compte, plus la jeune fille comprend qu'elle a eu de la chance que rien de pire ne leur soit arrivé à Étienne et à elle.

Rébecca éprouve des sentiments mêlés, maintenant que tout est terminé. Évidemment, elle est profondément soulagée d'être revenue saine et sauve chez elle. En même temps, elle est en colère contre Hervé Viau. Elle sait que cet homme n'était pas pleinement responsable de ses actes. Son état mental — son délire de persécution — créait une distorsion de la réalité et l'amenait à se comporter en accord avec ses illusions. Hervé Viau était plus déséquilibré que ne le pensaient les gens de son entourage. Il avait l'esprit très dérangé et c'est triste. Mais ce qui tourmente Rébecca, c'est d'être secrètement heureuse qu'il soit mort. «C'est terrible de se réjouir de la mort de quelqu'un, se dit-elle. Mais au moins, il ne peut plus revenir nous harceler, Étienne et moi.»

Rébecca se rend au poste de police où Van Kerelin l'a convoquée de nouveau. Une fois là, on lui demande de patienter car le policier est retenu ailleurs, sans doute pour un interrogatoire dans le cadre d'une autre enquête. À son arrivée, Van Kerelin doit encore passer quelques coups de téléphone avant de pouvoir parler à la jeune fille.

— Je m'excuse de t'avoir fait attendre, lui dit gentiment le policier. Ah! c'est tous les jours comme ça! Je devrais me multiplier par dix, comme Michael Keaton dans son dernier film, et ça suffirait à peine à me permettre de m'acquitter de toutes mes tâches.

Il fait un geste vers la pile de dossiers posée sur le coin de son bureau.

— Mais enfin, reprend-il, je ne t'ai pas fait venir ici pour te parler de mes problèmes. Et d'abord, dis-moi, comment te sens-tu? Comment ça va?

— Pas mal.

Rébecca a répondu d'une voix pas très convaincue. Elle n'a pas envie de discuter de ses sentiments avec Van Kerelin, d'autant plus qu'elle ignore elle-même ce qu'elle ressent au juste. Mais elle n'est pas tellement douée pour laisser croire que tout va bien lorsque ce n'est pas vrai.

De plus, étrangement, elle a l'impression qu'elle devrait rassurer le policier en prétendant que, pour elle, cette histoire est du passé et qu'elle n'en garde pas de souvenirs trop douloureux. Mais ça lui est impossible de répondre d'un ton ferme et enthousiaste alors qu'en dedans d'elle-même, elle ne se sent ni ferme ni enthousiaste.

— Après des événements semblables à ceux que tu viens de vivre, c'est parfois dur de se réadapter à la vie ordinaire, affirme Van Kerelin. Comment ça se passe pour toi?

— Pas trop mal.

Il la regarde un moment sans rien dire, puis il reprend:

— Ce n'est pas que je ne te crois pas mais, dans ce genre d'histoire, il arrive souvent qu'on ne sache plus quoi penser… de ce qui est arrivé… de ce qu'on a dit ou fait, ou pas fait… du ravisseur…

C'est comme si le policier avait lu dans ses pensées. Rébecca baisse les yeux.

— Alors, poursuit Van Kerelin, juste au cas où tu aurais besoin de démêler tout ce qui se passe en toi : les sentiments confus, les pensées contradictoires… j'ai pris la liberté d'inviter quelqu'un à venir te rencontrer.

— Qui ça?

— Oh! tu la connais déjà! C'est Marie-Jeanne Milan.

— Marie-Jeanne!

— Oui, la psychologue de ton école. Ça nous arrive de la consulter. On lui demande parfois de rencontrer des jeunes victimes de crimes.

— Comme moi!

— Comme toi. Qu'en penses-tu? Ça t'irait de passer un moment avec Marie-Jeanne pour essayer d'y voir plus clair? Il n'y a aucune obligation de ta part, mais je crois que ça pourrait te faire du bien.

— Je ne sais pas…

— Je suis certain que tu y trouverais du réconfort. Tu as besoin de te vider le cœur. À elle, tu peux confier des pensées troublantes que tu n'as peut-être pas envie de dire à tes proches.

— Encore raconter la même histoire!

— Ce sera une écoute différente.

— … D'accord.

Marie-Jeanne Milan et Rébecca s'installent dans un bureau et parlent durant un moment. Rébecca raconte en effet de nouveau l'enlèvement et sa séquestration. Mais la psychologue lui demande régulièrement de décrire ce qu'elle ressentait à tel ou tel moment particulier. Et cela permet à Rébecca d'approfondir et de mieux comprendre les sentiments qui l'agitaient dans les circonstances. Marie-Jeanne Milan fait également remarquer à la jeune fille à quel point celle-ci n'a jamais cessé de se préoccuper d'Étienne pendant toute la durée de cette épreuve.

— Tu as toujours fait passer le bien de cet enfant avant le tien, dit la psychologue. Sais-tu que c'est une preuve irréfutable que tu possèdes de grandes qualités de cœur? Tu as démontré que tu cultives une vertu éminemment humaine, que l'on appelle la compassion.

Rébecca ne sait pas que répliquer à ces compliments qui tracent d'elle un portrait si flatteur.

Puis la psychologue lui demande:

— Te sens-tu soulagée qu'Hervé Viau soit mort?

Automatiquement, Rébecca commence par protester, puis elle finit par avouer non seulement qu'elle est effectivement soulagée, mais combien elle se sent coupable. Tout est de sa faute: si elle n'était pas montée dans la voiture avec Étienne, rien ne serait arrivé.

Parler tout simplement de l'affaire avec un interlocuteur sympathique l'aide énormément. Elle se sent beaucoup mieux lorsqu'elles sortent du bureau. En la quittant, Marie-Jeanne lui dit:

— Si tu veux encore en parler, viens à mon bureau à l'école.

— Merci. J'irai peut-être.

Entretemps, le cas de Bozo a été discuté par de

nombreuses personnes. Rébecca est déterminée à tout faire pour qu'il ne soit pas renvoyé à Saint-Ignace. Il n'a pas commis de crimes; il y était uniquement parce qu'il n'a pas de famille et qu'il ne s'entendait pas avec sa famille d'accueil.

Dimanche, vers midi, Catherine Delarra vient dîner chez les Harpin avec son fils Jean. Durant le repas, elle aborde un sujet qui lui tient à cœur et qui est la raison particulière pour laquelle elle a accepté l'invitation de ses amis.

— J'ai beaucoup réfléchi à ta situation, Bozo, dit-elle en regardant l'adolescent droit dans les yeux. Je comprends l'indignation de Rébecca à l'idée que tu puisses être renvoyé au centre jeunesse Saint-Ignace, après tout ce que tu as accompli. Et je partage cette indignation.

Elle se tourne vers Rébecca, placée à sa gauche, et adresse à celle-ci un chaleureux sourire. Puis elle reprend en s'adressant de nouveau à Bozo:

— Tu as agi avec énormément de générosité en négligeant ce que tu considérais comme le seul moyen d'obtenir une liberté à laquelle tu aspires plus que tout. Bozo, tu es un de ces héros dont on peut lire les exploits dans les journaux. Tu es ce que j'appellerais un héros du quotidien: ton acte d'héroïsme ne demandait ni talent particulier ni habileté spéciale, mais ne pouvait être accompli que par quelqu'un possédant un cœur d'or.

Sa tirade l'a émue elle-même et Catherine a les larmes aux yeux.

Pour lui donner l'occasion de se remettre de ses émotions, son fils prend la parole:

— Depuis qu'on a quitté la maison, mes frères et moi, maman se sent seule. Il faut dire que la maison est grande et qu'on prenait beaucoup, beaucoup de place. Hein, maman?

— Oh oui! s'écrie Catherine qui a retrouvé son sourire.Tu te souviens, Jean, quand vous aviez organisé des tournois dans le salon? C'est tout juste si vous n'avez pas fait entrer des chevaux par la porte-fenêtre.

La mère et le fils échangent un regard complice, puis éclatent de rire ensemble. Ensuite Catherine redevient sérieuse pour annoncer:

— Bozo, en fait tout ce préambule peut se conclure ainsi: je t'invite à venir vivre chez moi. Ça me manque d'avoir un ado dans la maison, explique-t-elle. Et ça me ferait un petit velours de côtoyer un héros du quotidien… au quotidien.

Un peu plus tard, Rébecca et Bozo vont rendre visite à Étienne. En chemin, Bozo demande:

— Cette idée que j'aille vivre avec madame Delarra, qu'est-ce que tu en penses, toi, Rébecca?

— Je trouve que c'est une excellente idée, répond Rébecca, surprise qu'il lui demande son avis. Catherine est gentille et elle se sent seule. Elle a élevé quatre garçons et son mari est mort du cancer il y a quelques années. Et elle est facile à vivre; elle ne sera pas sévère.

— Ça semble parfait! Et l'école?

— Tu veux savoir si tu vas être le seul de ton

genre? Non, il y a d'autres élèves de race noire. Pas beaucoup, mais je ne crois pas que ce soit un problème. Personne ne fait attention à des choses comme ça, à cette école. Je ne peux que te donner mon point de vue. Je pense que tu devrais essayer.

— Je suppose. De toute façon, tout est mieux que Saint-Ignace.

Étienne est content de les voir et Rébecca constate avec joie qu'il est redevenu le joyeux petit garçon d'avant. Il a encore le rhume, alors les deux ados ne restent pas longtemps. En les raccompagnant à la porte, Marianne dit:

— Mon congé se poursuit demain aussi. Je resterai à la maison avec mon fils. Je ne me sentais pas encore prête à le quitter déjà. Mais bien sûr, je ne peux pas prendre toute la semaine. Rébecca, je peux compter sur toi pour revenir garder Étienne à partir de mardi?

— Je serai là sans faute.

À l'école, lundi, Rébecca se sent comme une vedette. Des photos d'elle et de Bozo ont paru dans les journaux de la fin de semaine, et tous veulent entendre le récit de l'enlèvement et de leur fuite. C'est amusant d'être le centre de l'attention, bien que Rébecca devine que ça ne durera pas longtemps.

André Héroux lui dit:

— Content de te revoir, Rébecca. On s'inquiétait tous de toi.

— Eh bien, merci, André.

— Es-tu libre pour le dîner? Je pensais qu'on

pourrait aller se chercher un sandwich au traiteur.

— Non, désolée, j'ai déjà rendez-vous, répond-elle, non sans ressentir une touche de satisfaction.

Une heure plus tard, elle et Dani se tiennent près des portes de la cafétéria, attendant Bozo.

Rébecca aperçoit enfin sa silhouette singulière au bout d'un couloir et lève haut le bras pour attirer son attention. Il presse le pas dans leur direction.

— Je m'excuse d'être en retard, dit-il lorsqu'il les rejoint. Je me suis perdu.

— Pas de problème, réplique Rébecca. Dani, voici Bozo.

— Je suis vraiment heureuse de te rencontrer, dit celle-ci sincèrement. Rébecca est ma meilleure amie et je suis contente qu'elle soit revenue.

Bozo fait un petit sourire embarrassé, et ils vont tous trois se joindre à la file d'attente pour se faire servir. Puis ils s'assoient à une longue table et Bozo raconte à nouveau comment ils se sont échappés de la cabane. Les autres élèves lui posent mille questions. Puis Alix Meilleur fait une blague que Rébecca ne comprend pas et Bozo éclate de rire. Rébecca est contente de le voir si détendu. Elle sait que tout ira bien pour lui.

— Puis, Rébecca, Étienne va mieux? lui demande Dani. Est-ce que tu dois le garder cet après-midi?

— Non, je suis libre aujourd'hui! Qu'est-ce que tu as envie de faire?

Dans la même collection

À paraître

n° 68

Amnésie

ACHEVÉ   D'IMPRIMER
EN   SEPTEMBRE   1996
SUR   LES   PRESSES   DE
PAYETTE & SIMMS INC.
À SAINT-LAMBERT (Québec)